HET IS MIS MET KERSTMIS

Van dezelfde auteur:

Jarige Job

ISBN 978 90 483 1652 6

Directeur Lolbroek

ISBN 978 90 483 1711 0

Terug naar de toekomst

ISBN 978 90 483 1937 4

De jongen die ineens beroemd was

ISBN 978 90 483 1938 1

HET IS MIS MET KERSTMIS

LUKT HET OM DE ECHTE KERSTMAN OP TE SPOREN VOORDAT KERSTMIS VOORGOED VERLOREN GAAT?

DAVID BADDIEL

GEÏLLUSTREERD DOOR STEVEN LENTON

Veltman Uitgevers

Oorspronkelijke titel: Virtually Christmas

Oorspronkelijk uitgegeven in het Verenigd Koninkrijk in 2022 door
HarperCollins *Children's Books*, een imprint van HarperCollins*Publishers* Ltd

Nederlandstalige uitgave:
© 2023 Veltman Uitgevers, Utrecht
Vertaling: Sandra C. Hessels/Vitataal
Redactie en productie: Vitataal, Feerwerd
Opmaak en omslagontwerp: Fenatic, Oostwold

ISBN 978 90 483 1939 8

Voor meer informatie: www.veltman-uitgevers.nl

Voor mijn zoon, Ezra, voor het idee. Alweer. Op een gegeven moment moet ik hem er toch voor gaan betalen.

DEEL EEN: DE NABIJE TOEKOMST

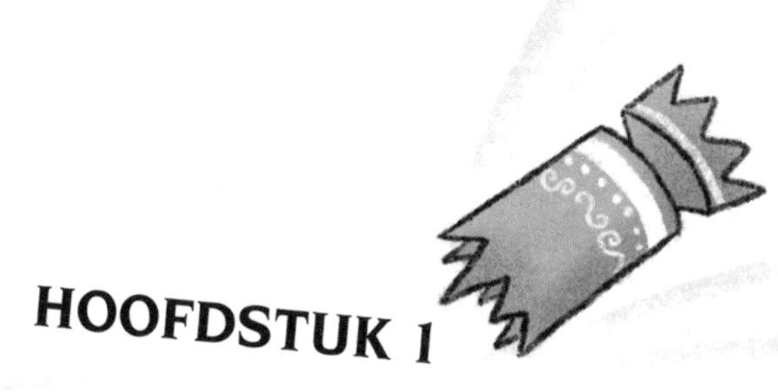

HOOFDSTUK 1

Kerstman! Kerstman!

Het had zo fantastisch moeten zijn dat niemand minder dan de Kerstman verscheen in de woonkamer van Emma Baxter.

'Ho ho ho!' zei hij met zijn bulderende kerstmannenstem. 'Hoe gaat het met jou, Emma?'

Dat was toch geweldig? Dat de Kerstman haar naam wist? Maar om de een of andere reden leek Emma – een meisje van elf met donker haar en een bril waar ze nu vrij verveeld doorheen staarde – niet heel erg onder de indruk. Haar kleine broertje Jonas van drieënhalf was juist wél heel enthousiast. Hij riep al de hele tijd 'Kerstman! Kerstman! Kerstman!' sinds de Kerstman was verschenen. Nou ja, het klonk meer als 'Kers-man', maar de bedoeling was duidelijk.

'Ben je braaf geweest dit jaar?' ging de Kerstman verder. 'Je moeder zegt van wel. En ik weet dat je een heel lief baasje bent geweest voor Wieps!'

Wieps was Emma's kitten en had zijn naam gekregen vanwege het hoge, schelle geluid dat hij maakte, dat nog niet echt klonk als een miauw. En ook het feit dat de Kerstman zo'n klein detail wist over Emma's leven zou geweldig moeten zijn geweest. Maar Emma's ogen begonnen niet te stralen. En Emma's ogen straalden normaal gesproken altijd.

'Kerstman! Kerstman! Kerstman!' zei Jonas.

'Ho ho ho, Jonas,' zei de Kerstman. 'Ik kom zo bij jou. Maar eerst nog even... Emma. Ik weet precies wat jij dit jaar voor kerst wenst. Een nieuwe, glinsterende halsband voor Wieps! Eentje met groene en rode steentjes rondom!'

'Dat wil je toch, hè, Em?' zei Emma's moeder, die Bonnie heette. Ze zat op haar hurken naast Emma en ze trok zo'n gezicht dat volwassenen trekken als ze willen dat je ergens heel blij mee bent, maar niet zeker weten of dat wel zo is. Dat gezicht ken je vast wel.

Emma knikte. Maar niet heel enthousiast.

'En ik zal ervoor zorgen dat je dat geschenk krijgt!' zei de Kerstman.

'Wauw, Kerstman!' riep haar moeder uit. 'Dank u wel!'

'Kerstman! Kerstman!' Dat was niet Emma. Dat riep Jonas. Maar dat had je waarschijnlijk al geraden.

'Dat is geen probleem voor mij en mijn elfen!' zei de Kerstman.

Emma bleef de Kerstman maar met een kille blik aanstaren. Het werd een beetje ongemakkelijk.

'Emma... Is het niet geweldig dat de Kerstman bij ons langs is gekomen en dat hij precies weet wat je wenst voor Kerstmis?' vroeg Bonnie, met een beetje een smekende toon. 'Wil je hem niet op z'n minst... bedanken?'

'Oké,' zei Emma, die nu eindelijk iets zei. Al klonk het nogal koeltjes. 'Weet je wat...' zei ze ongeveer even toonloos, 'ik geef de Kerstman wel even een knuffel.'

'Eh...' zei haar moeder.

'Kerstman! Kerstman!'

'Kom maar, Kerstman,' zei Emma, en ze spreidde haar armen.

'Ik weet niet... of dat wel... mág?' zei Bonnie.

'Ho ho ho!' zei de Kerstman, zonder naar haar toe te komen.

'Wat lach je nou?' vroeg Emma. 'Wat is er zo grappig aan een knuffel?'

'Tja...' zei de Kerstman. 'Dat is wat ik doe. Ik zeg nu eenmaal vaak "ho ho ho". Dat hoort erbij.'

'Maar dat moet toch een lach voorstellen?'

'Eh... ja... ik denk het.'

'Waarom zou je dan lachen om iets wat niet grappig is?'

De Kerstman fronste zijn wenkbrauwen. Hij keek opzij naar Bonnie alsof hij hulp nodig had. Zij haalde haar schouders op. Daarna keek hij naar Jonas.

'Kerstman!' riep Jonas.

'Ho ho… ho?'

'Oké dan,' zei Emma. 'Nou goed. Die knuffel, dus…' Ze spreidde haar armen weer en liep op de

Kerstman af. Die keek nogal bezorgd. Emma ging naar de plek waar hij stond toe, vlak naast de open haard. Ze sloeg haar armen om hem heen en... die bewogen dwars door hem heen. Alsof hij een spook was. Alsof hij er eigenlijk niet écht was.

'Oké,' zei de Kerstman. 'Dat was een fijne knuffel. Heel goed. Nou. Ik moet maar weer eens gaan. Het werk gaat altijd door!'

En weg was hij. Verdwenen.

'Kerstman?' zei Jonas.

Emma's moeder keek naar Emma.

'Em!' zei ze. 'Je hebt de Kerstman weggejaagd!'

'Ja, eh...' zei Emma. 'Het is niet mijn schuld dat hij een hologram is.'

Op dat moment barstte Jonas in tranen uit.

HOOFDSTUK 2

Winterzone

'Hoi. Gary?' vroeg Bryan Bladt.

'Eh... ja, meneer. Gary Baxter.'

'Je hoeft me je achternaam niet te vertellen, hoor,' zei Bryan. 'Hier bij Winterzone gebruiken we alleen voornamen.'

'Oké, meneer.'

'En met dat hele meneer-gedoe moet je natuurlijk ook stoppen. Noem me maar Bryan. Eigenlijk heb ik nog liever dat je gewoon Bry zegt. Maar dat wist je vast wel.'

Dat wist Gary inderdaad. Hij werkte al tien jaar voor Winterzone. En elke keer dat Bryan Bladt het podium betrad tijdens de Winterzone Wereldconferentie, die jaarlijks op de eerste dag van november in honderd landen tegelijkertijd live werd uitgezonden, op elk denkbaar socialmediaplatform, was er achter hem altijd een reusachtig scherm met daarop de naam 'Bry'. En elke keer dat hij het podium verliet, speelde het huisorkest van Winterzone steeds *I'm Dreaming of a* BRY-*te Christmas*.

'Oké... Bry.' En toch bleef het raar klinken, hoe vaak Gary het ook hoorde.

Bry keek hem aan met zijn gebruikelijke gezichtsuitdrukking: een vriendelijke glimlach, maar wel zo eentje waarvan je dacht dat hij daar eerst een hele tijd voor de spiegel op had geoefend. Hij was zo kaal als een knikker, dus leek het een beetje alsof iemand een – heel erg ingestudeerde – vriendelijke glimlach op een ei had geschilderd.

Naast Bry stond zijn belangrijkste persoonlijke assistent, Raisa. Die zag eruit als altijd: alsof ze he-le-maal nergens aan dacht. Al wist Gary dat dat niet waar was. Ze dacht de hele tijd aan he-le-maal niks anders dan hoe ze Bry en Winterzone het best van dienst kon zijn. Ze was, zoals altijd, gekleed in een volledig wit pak, maar had ook zoals altijd haar kleine, feloranje handtas over haar schouder gehangen. Een van haar handen leek altijd licht, en toch stevig, op de sluitklem van de tas te rusten. Die was glimmend groen van kleur. De klem dus, niet haar hand.

Ze stonden in de Sneeuwzaal, een gigantische ruimte in het midden van het Winterzone-gebouw. Het was een vrijstaand gebouw, midden op heel wat voetbalvelden aan terrein aan de rand van een grote stad. Het was meer dan vijftig verdiepingen hoog en had de vorm van een kerstboom. Er waren heel veel ramen, maar de grote trots was toch wel het enorme raam dat helemaal rond de voorkant van de bovenste verdieping liep. Dat was gemaakt van gekleurd glas: rood en groen en wit. Op dat gekleurde glas was de naam WINTERZONE™ afgebeeld, omringd door sneeuwvlokken en zogeheten Santavatars en sleeën. De naam was vanuit bijna elke plek in de stad te zien.

WINTERZONE™
WZ

In de Sneeuwzaal waren ook de andere leden van Bry's persoonlijke team aanwezig. Je had Hamnet, een man die alleen zwarte kleren droeg, en die altijd zijn helemaal witte kaketoe – die ook Hamnet heette – meenam naar zijn werk. De kaketoe zat op dit moment op zijn schouder. Je had Fester, een vrouw die er volgens Gary uitzag alsof ze iets van veertien jaar oud was, maar die in werkelijkheid achter in de vijftig was – haar jeugdige uiterlijk had ze geheel te danken aan haar dieet van supervitamineshakes, waarvan ze er nu ook net weer eentje opdronk. (Het was een felgroen drankje dat volgens de fles **GROEN-GEZONDJE** heette.) En dan had je nog CWX25. Dat was een robot die er heel menselijk uitzag en die geprogrammeerd was om eigenlijk alleen maar aan Kerstmis te denken. De robot droeg een rood met groene trui met een rendier en sneeuwvlokken erop.

'Ga zitten, Gary, ga zitten!' zei Bry.

Gary keek om zich heen.

'Op de zitzak, LMD.'

'LMD?' vroeg Gary.

'Dat is de afkorting van "Lijkt me duidelijk",' zei Bry. 'LMD.'

'Juist. Natuurlijk,' zei Gary.

Hij nam plaats. De zitzak was heel groot en heel rood en stond midden in de zaal. Er was een soort witte bontkraag aan de randen vastgenaaid. Niemand anders in de Sneeuwzaal ging zitten, dus voelde het voor Gary heel raar om dat wel te doen. Hij zakte diep weg in de zitzak. Dat ding was bizar diep. Hij vroeg zich af of hij er ooit nog uit kon komen. Bovendien droeg hij een net pak, wat al helemaal verkeerd voelde op een zitzak. Aan de andere kant droeg hij altijd de verkeerde kleding hier bij Winterzone. De meeste anderen hadden loszittende kleren aan: T-shirts en wijde broeken. Volgens de voorschriften van de zaak moesten die wel bij voorkeur rood, groen en wit zijn – kerstige combinaties. Bry liep, zoals gewoonlijk, op blote voeten.

'Dat zit lekker, hè?' vroeg Bry.

'Nou, eh...'

'Goed, Gary. Ik neem aan dat je je afvraagt waarom

ik je heb laten komen?'

'Ik, eh... dacht dat het misschien iets te maken had met de nieuwe Superslee die we bij TingelTech aan het ontwerpen zijn. Hij is echt geweldig, hij kan tot wel twintig keer zo snel als het geluid...'

Raisa staarde hem aan. Gary zag zelfs vanaf zijn weggezakte plekje op de zitzak dat ze heel licht met haar hoofd schudde.

'Nee, Gary,' zei Bry. 'Dat is het niet. Zoals je weet hebben wij... sinds Winterzone het hele kerstgebeuren heeft overgenomen... ernaar gestreefd om dat hele feest wat meer te moderniseren... We streven ernaar om dit tot de mooiste tijd van het jaar te maken...'

'TM Winterzone, ' zei Raisa.

'Sorry?' vroeg Gary.

'TM. Het handelsmerk,' zei ze met een accent dat Gary maar niet kon plaatsen, maar dat in een ander universum ongetwijfeld bij een spion zou horen. 'De mooiste tijd van het jaar,' herhaalde ze. 'Die zin is nu van ons, daar hebben we een handelsmerk van gemaakt. Dan moet je TM zeggen.'

'Ja, nou, goed,' zei Bry. 'Dat is dus mijn punt, Gary. Het IS ook de mooiste tijd van het jaar...'

'O ja, jazeker,' zei Hamnet. 'Ja, toch, Hamnet?'

'De MOOISTE tijd van het jaar!' krijste Hamnet. De kaketoe.

'Dat is helemaal juist!' zei Fester, ook al was ze lastig te verstaan. Ze was namelijk net bezig een nieuwe supervitamineshake naar binnen te werken. Op dit etiket stond **BOSBEST GOED VOOR JE**.

'Het is de... mooiste tijd van het jaar!' zong CWX25. 'De mooiste tijd van het jaar! Jahaa, DE MOOISTE TIJD VAN HET JAAR...'

'Kan iemand hem uitzetten?' vroeg Bry fluisterend. Raisa vertrok geen spier, maar pakte een kleine afstandsbediening en drukte op een knopje.

'VAN HET JAAAA...' zong CWX25, en ineens hield hij op, met zijn mond nog steeds wijd open. Iedereen viel stil. Gary keek naar de robot. Hij – de robot – leek net iemand die heel hard moest gapen en halverwege die grote gaap zijn mond niet meer dicht kreeg.

'Sorry, Bry,' zei Hamnet. De persoon. 'CWX25 heeft last van een storing als het om liedjes gaat. Zodra hij kerstliedjes hoort, blijven ze in zijn hoofd zitten en wil hij ze steeds maar zingen. Net een oorwurm.'

'Is er een wurm? In zijn oor? Mag ik die hebben?' vroeg Hamnet. De kaketoe. Dat had je vast al geraden.

'Eh... Ik zou CWX25 wel even kunnen nakijken als je wilt,' zei Gary. 'In TingelTech 1.'

'Dat dacht ik niet!' zei Hamnet.

'Dacht 't niet!' krijste Hamnet.

'We kunnen in TingelTech 2 prima voor hem zorgen!' zei Hamnet.

'TINGELTECH 2!' krijste Hamnet.

'O, dus jij leidt TingelTech 2?' zei Gary, die dat nooit eerder had geweten. Hij wist niet eens dat zij de robot hadden gebouwd.

'Ik wel, ja,' zei Hamnet. 'De kaketoe niet.'

'Ik níét?!' krijste Hamnet.

'Maar goed,' zei Gary, die weer naar Bry keek. 'Natuurlijk. Mee eens. Over dat hele mooiste tijd van het jaar-gedoe. Daarom vinden wij van TingelTech 1 dan ook dat de Superslee een supergeweldige...'

'Kun je daar ook over ophouden, Gary?' vroeg Bry, nog steeds met zijn vriendelijk glimlachende gezicht, ook al was hij overduidelijk niets vriendelijks aan het zeggen, niet iets waarbij je zou moeten glimlachen. 'Ik bedoel, niemand gaat dat ding gebrúíken,' ging hij verder. 'We hebben namelijk een leger aan bezorg-drones. De slee is gewoon een symbool. Voor memes en advertenties en zo. Dat weet je toch wel, hè?'

Gary knikte. Hij keek er alleen bij alsof hij dat tot op dit moment niet had geweten. Hij had aangenomen dat iemand – misschien Bry wel? – erin zou gaan zitten en ermee zou vliegen. Dat de slee op de een of andere manier gebruikt zou worden om cadeautjes te bezorgen, vanuit de lucht.

'Het zit zo. Luister, want dit is dus het punt.' Bry hield ervan om het woord 'punt' te gebruiken. 'Het punt is: jij hebt een dochter, nietwaar?'

'Eh... ja?' zei Gary vragend.

Bry knikte. Raisa gaf hem een flesje water. Daar stond **WW** op. Dat was de afkorting voor **WINTER-ZONE WATER**. Bry nam een klein slokje.

'Deze?' vroeg hij toen.

Raisa pakte haar kleine afstandsbediening er weer bij. Vanuit het niets verscheen er ineens een heel groot scherm, dat vlak achter Bry bleef zweven. Gary keek er goed naar. Want op dat scherm... zag hij

Emma. En Bonnie, die op haar hurken naast haar zat.

'Oké,' zei Emma op het scherm. 'Ik geef de Kerstman wel even een knuffel.'

'Eh...' zei Bonnie vlak naast haar.

'Kerstman! Kerstman!'

Raisa pauzeerde het beeld.

'Wie hoor ik daar praten?' vroeg Raisa aan Gary.

'Eh... dat is mijn zoon, Jonas. Die is buiten beeld. Niet zichtbaar op dit scherm.'

'Ah. De naam van de Kerstman is uiteraard ook door Winterzone vastgelegd als handelsmerk. Is hij zich daarvan bewust?'

'Eh... hij is drieënhalf.'

Raisa staarde naar hem. Haar gezichtsuitdrukking veranderde niet, en toch wist ze op de een of andere manier een 'ja, en?' over te brengen. Ze klikte weer op haar afstandsbediening.

'Kom maar, Kerstman,' zei Emma op het scherm, en ze spreidde haar armen.

'Ik weet niet... of dat wel mág?' zei Bonnie.

'Ho ho ho!' zei een stem. Terwijl die sprak, zag

Gary een stel witte handschoenen en een witte bontrand aan het uiteinde van twee rode mouwen omhoog bewegen van achter de camera, naar Emma toe.

Weer zette Raisa het beeld stop. Iedereen keek nu naar Gary. Ze leken allemaal ontevreden te fronsen. Zelfs CWX25, ook al zag zijn gezicht er misschien altijd zo uit als hij was uitgeschakeld.

'Het punt is... zoals je weet...' zei Bry, '... dat de Santavatars...'

'Eveneens een handelsmerk,' merkte Raisa op.

'... in staat zijn beelden op te nemen in elk huis dat ze bezoeken.'

'Ja,' zei Gary. 'Die mogelijkheid hebben we ook in TingelTech 1 ontwikkeld en...'

Bry wuifde zijn woorden weg. 'Boeit niet. Niemand hier is verantwoordelijk voor een enkel idee, Gary.'

'Elk idee is ieders idee,' zei Raisa, alsof het een soort bedrijfsslogan was. Dat was het ook, alleen noemden ze bij Winterzone al die slogans "mantra's".

'ELK IDEE IS IEDERS IDEE!' krijste Hamnet. De kaketoe.

'Precies,' zei Bry. 'Nou ja, ieders idee is dan wel min of meer *mijn* idee. Want het hele bedrijf is van mij. Maar dat is hetzelfde.'

'HETZELFDE!' krijste Hamnet.

'Sst, Hamnet,' zei Hamnet.

'Ik wil niet het hele filmpje laten zien,' ging Bry verder, 'maar het punt is... Jouw dochter, Emma heet ze toch, hè?'

'Ja,' zei Gary.

'Emma... Tweede voornaam Elsa... Elf jaar, twee maanden en dertien dagen oud,' dreunde Raisa op. 'Ik heb haar onlineprofiel hier voor me...'

'Yep,' zei Bry met een wegwuivend gebaar naar Raisa. 'Ze deed heel... raar tijdens het bezoek van die Santavatar. Ze...'

'Ja,' zei Gary met een zucht. 'Ik kan wel ongeveer raden hoe het gegaan zal zijn.'

Het bleef even stil. Na een kort hoofdknikje van Bry drukte Raisa weer op de afstandsbediening, waardoor het scherm verdween. Bry glimlachte weer.

'Zoals je weet, Gary, is werken bij Winterzone niet alleen maar *werken* bij Winterzone. Werken, spelen, leven bij Winterzone – vooral in de mooiste tijd van het jaar – is allemaal één. En familie. Wauw. Familie. Nietwaar, Raisa?'

Raisa knipperde een paar keer met haar ogen.

'Familie is heel belangrijk,' zei ze uitdrukkingsloos. Ook dat was een bedrijfsmantra.

'O, ja,' zei Hamnet. 'Familie is heel belangrijk.'

'FAMILIE IS HEEL...'

'Sst, Hamnet.'

'Familie. Heel. Belangrijk.' Dit was CWX25, die zichzelf op een of andere manier weer had geactiveerd. Zijn stem klonk wel trager en veel lager dan gebruikelijk.

'Weet je zeker dat ik niet eventjes moet kijken naar CWX...' begon Gary, maar hij zweeg na een vernietigende blik van Hamnet. De kaketoe. Hamnet de persoon deed net alsof hij niets had gehoord.

'Familie is heel belangrijk,' zei Fester bij het

openen van alweer een nieuw flesje supervitamineshake – deze keer **MUNTIGE MENTALE MAGIE** – met haar uiterst jonge handen. 'Dat zei ik laatst nog tegen mijn kleinkinderen.'

'Je kleinkinderen...?' begon Gary, maar hij besloot dat het verstandiger was om het daarbij te laten. 'Maar inderdaad, daar ben ik het mee eens. Familie is echt heel belangrijk.'

Bry glimlachte weer.

'Precies. En de beste manier om ervoor te zorgen dat je familie, je gezin, de mooiste tijd van het jaar beleeft rond de mooiste tijd van het jaar is om erop te staan dat ze zich helemaal onderdompelen in de Winterzone-versie van de mooiste tijd van het jaar. Dat ze de Winterzone Wonderlijkheid echt volledig omarmen.' Nu verdween zijn glimlach opeens. 'Dat ze dus, met andere woorden, níét iets doen wat de Winterzone Wonderlijkheid schaadt door een of ander cynisch en laten we het maar gewoon verstorend gedrag noemen waardoor een van onze Santavatars ineens... niet echt lijkt.'

'Juist. Ja, goed,' zei Gary. 'Maar het is niet zo dat iemand haar dit ziet doen, of zo.'

Bry fronste zijn wenkbrauwen. 'Ik heb het gezien, Gary. Ik heb het gezien.' Hij gebaarde naar rechts. 'En nu hebben Raisa en Fester en Hamnet en Hamnet en CWX25 het ook gezien.'

'Ja, goed, maar een van hen is een kaketoe,' zei Gary. 'En een ander een robot.'

'Iedereen had het gezien kunnen hebben,' bracht Raisa naar voren. 'Want wij zetten alle beelden van de Santavatars online.' Ze keek Gary nu heel strak aan. 'Omdat de meeste reacties van de kinderen juist zo innémend zijn.'

'Mm-hmm,' zei Bry. 'De mééste wel, Gary. De meeste wel.' Hij ademde diep in. 'En wij willen graag dat álle reacties zo zijn. Maar vooral van kinderen van wie de ouders bij Winterzone werken. Want het is geen goede lóók, Gary, kinderen van Winterzone-werknemers die neerbuigend doen over Kerstmis. Vergeet niet, Gary: een fijne kerst begint bij jezelf.'

Gary fronste zijn wenkbrauwen. 'Het was toch: een

beter milieu begint bij jezelf?'

Bry schudde zijn hoofd heel licht. 'Nee, Kerstmis. Alles draait om Kerstmis.'

Raisa draaide zich om naar Bry en fluisterde hem iets toe.

'Hé!' riep Bry. 'Goed idee! We kunnen de verandering in Emma's houding extra onderstrepen door haar dit jaar te benoemen tot het kind van Het Perfecte Cadeau Alsjeblieft. Is dat oké, Gary?'

Gary fronste zijn wenkbrauwen opnieuw, nu bezorgd. Het Perfecte Cadeau Alsjeblieft was een speciale Winterzone-traditie. Elke kerstavond werd een kind uitgekozen om naar het hoofdkantoor van Winterzone te komen. Daar moest het kind op een groot podium staan en terwijl de livebeelden overal ter wereld werden uitgezonden moest het kind vragen om het perfecte cadeau. Het kind moest dan zeggen: 'Ik wil graag mijn Perfecte Cadeau, alsjeblieft, en dat is...' En met de magie van de Winterzone-technologie zou dat cadeau dan onmiddellijk worden afgeleverd, ingepakt en wel, nog voordat het kind het podium zou hebben verlaten.

De meeste kinderen zouden een moord doen – nou ja, niet echt een móórd, natuurlijk, maar ze zouden er toch vrij gewelddadig om willen vechten – om het kind van Het Perfecte Cadeau Alsjeblieft te worden. Maar Gary wist – daarom had hij zijn wenkbrauwen ook gefronst – dat Emma niet 'de meeste kinderen' was. Zeker niet als het ging om Kerstmis, of in elk geval niet zoals kerst tegenwoordig was.

'Oké, Gary?' zei Bry opnieuw. Zijn glimlach leek op zijn gezicht geplakt.

'Tja... nou... het zit zo... Emma is nogal eigenwijs, en mijn relatie met haar is... Mijn vrouw en ik zijn een paar jaar geleden uit elkaar gegaan en...'

'Oké, Gary?' herhaalde Bry, nu op een toon die zoveel wilde zeggen als 'Ik ga dit niet nog een keer vragen...' Hij hield geen moment op met glimlachen, maar zijn stem en zijn ogen werden wel heel kil.

Gary slikte.

'Oké, Bryan,' zei hij.

'Bry,' zei Bry, en hij liep weg.

Gary keek om zich heen. Alle anderen vertrokken nu ook, met uitzondering van Raisa, die hem nogal onverstoorbaar aankeek. Een minuut – en heel wat geschuifel en gewiebel – later zei Gary tegen haar:

'Raisa... zou je me misschien uit deze zitzak kunnen helpen?'

'Nee,' zei Raisa, en toen liep zij ook weg.

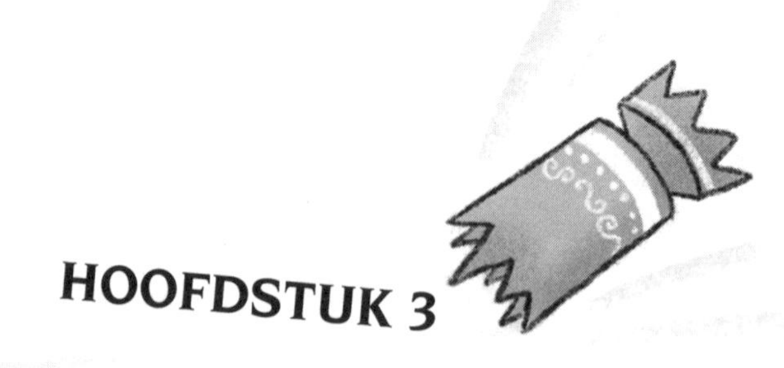

HOOFDSTUK 3

Een tikkeltje ongemakkelijk

Het was altijd een beetje ongemakkelijk, vond Emma, als haar vader bij hen thuis kwam. De sfeer tussen hem en Emma's moeder was ongemakkelijk sinds ze uit elkaar waren, en Emma wist ook dat haar vader Een Goed Gesprek met haar wilde voeren over het een of ander. Geen enkel kind vindt het leuk als een van de ouders Een Goed Gesprek wil hebben, en daarin was Emma niet anders dan andere kinderen. Sterker nog, misschien was het voor Emma wel erger dan voor de meeste andere kinderen om Een

Goed Gesprek te voeren, want de meeste kinderen zijn er best goed in om maar wat te knikken en 'Ja, papa' of 'Ja, mama' te zeggen tot het weer achter de rug is. Emma kon dat niet.

'Luister, Emma, ik begrijp gewoon niet wat het probleem is,' zei haar vader. Hij ijsbeerde door de woonkamer. 'Elk kind dat ik ken is dól op de Santavatars.'

'Is dat zo? Hoe weet je dat?'

'Omdat we...'

'En met "we" bedoel je zeker Winterzone?'

'Ja, we... het bedrijf waarvoor ik werk... hebben een hele hoop marktonderzoek gedaan, en we weten dat de Santavatars een goedkeuring van vijfennegentig procent kunnen wegdragen binnen zeventig procent van de leeftijdsgroep onder de elf.'

'O, Gary,' zei Bonnie.

'Wat?' vroeg Gary.

'Moet je echt op die manier praten?'

'Op welke manier?'

'In statistieken.'

'O. En dan ga je nu zeker zeggen dat je daarom wilde scheiden?'

'Nee. Maar het hielp niet.'

'Nou, en bedankt maar weer.'

'Vergeleken waarmee?' vroeg Emma.

'Pardon?' vroeg Bonnie.

'Pardon?' vroeg Gary.

'Die statistieken over hoe dol kinderen zijn op computergegenereerde... die hologram-kerstmannen...' zei Emma.

'De Santavatars. Ja?'

'Heb je ze dan ook gevraagd hoe leuk ze die vinden vergeleken met de échte Kerstman?'

Emma's moeder en vader keken elkaar ongemakkelijk aan.

'De echte Kerstman?' vroeg Bonnie na een poosje.

'Ja!' zei Emma. 'Je weet wel. Degene die al die cadeautjes rondbracht en die... hét gezicht van Kerstmis was voordat Winterzone de hele boel overnam. Degene die in Lapland woonde, met elfen en rendieren!'

Gary keek haar fronsend aan. 'Hoe weet je dat eigenlijk over hem?' vroeg hij. 'Winterzone had Kerstmis al in handen nog voordat jij geboren werd...'

Emma staarde hem aan. 'Pap. Je zegt dat je voor Winterzone werkt. Zij hebben zo'n beetje alle hart en ziel uit Kerstmis gezogen en alles online gegooid. Voor geld en winst.'

'Emma, dat is niet eerlijk...'

'En toch heb je blijkbaar nog nooit gehoord van iets wat HET INTERNET heet?' vroeg Emma.

'O. Oké.'

'Het verbaast me dat Winterzone dat nog niet heeft geblokkeerd,' ging Emma verder. 'Maar zolang dat nog niet is gebeurd, pap, heeft de échte Kerstman nog steeds een eigen pagina op Infopedia. En daarop staat, trouwens, dat niemand weet waar hij is gebleven. Dat wil niet zeggen dat de Kerstman dood is!'

'De Kerstman is dood! De Kerstman is dood!' klonk er een kreet. 'Wèèèèèèèh!'

'O, nee, Emma,' zei Bonnie. 'Je hebt Jonas wakker gemaakt. Die lag nog te slapen.'

HOOFDSTUK 4

Pas openmaken als het kerst is

Het bleef stil tussen Emma en haar vader nadat haar moeder de kamer uit was gelopen. Hij keek haar nogal somber na.

'Wat is er gebeurd, Emma? Je hield vroeger zo van Kerstmis...'

Emma schudde haar hoofd. 'Pap, ik hou nog steeds van Kerstmis. Alleen niet van de Winterzone-versie.'

'Maar Winterzones Kerstmis is geweldig!' zei Gary. 'Hé, ik herinner me nog hoe Kerstmis vroeger was. Het was altijd een hele hoop werk. Cadeautjes zoeken in de winkel... inpakken... een echte boom het huis in zeulen... eeuwenlang in de rij staan bij zo'n werkplaats waar een of andere vent van middelbare leeftijd zat, verkleed als de Kerstman... We moesten iets eten wat kalkoen heette, die altijd veel en veel te droog was... Er waren dingen die we knalbonbons noemden. Daar moest je aan trekken en dan klonk er een knal en zat er een afgrijselijk en nutteloos papieren kroontje in, samen met een heel slechte mop...'

Hij had gelijk in de zin dat Kerstmis nu heel anders was. De meeste gezinnen brachten de weken tot aan kerst door met allerlei verschillende schermpjes voor hun neus, waarop ze de diverse websites bezochten en apps gebruikten die door Winterzone waren gemaakt. Er was bijvoorbeeld een KadoApp, waarop kinderen hun verlanglijstje konden invoeren, en dat lijstje werd dan automatisch gekoppeld aan Kerstsjop, de webwinkel waar al die cadeaus die op het lijstje stonden meteen werden opgezocht en gekocht. Alles werd dan op tijd voor kerstavond

bezorgd door de Zonedrones, in speciale Winterzone-dozen die de vorm hadden van een grote kartonnen kerstsok. De Zonedrones waren rood en wit geverfd en ze speelden allerlei elektronische deuntjes van kerstliederen terwijl ze heen en weer vlogen. Soms keek Emma omhoog en zag ze een hele hoop van die dingen boven de huizen vliegen, en dan botsten ze tegen elkaar op terwijl ze allemaal *Jingle Bells* lieten horen. Met kerst zelf had iedereen alle scher-

men aan en vierden familieleden die verder weg woonden het feest op afstand mee.

Winterzone zond dan ook een onafgebroken stream uit op het Sneeuwkanaal. Dus als je wilde, kon je een scherm aan de muur hangen bij wijze van raam, inschakelen op het Sneeuwkanaal en doen alsof het een echte witte kerst was. Maar dat was het nooit, want daarvoor was het tegenwoordig veel te warm, zelfs in december.

Je had ook nog de Santavatars – die computergegenereerde driedimensionale kerstmannen – die je kon boeken zodat ze op elk gewenst moment bij jou thuis werden geprojecteerd. Ouders voerden dan allerlei informatie in over hun kind, zodat het leek alsof de 3D-Santa van alles wist over het kind bij wie hij 'op bezoek' kwam. De Santavatars waren heel populair. Bij de meeste kinderen.

'Ja,' zei Emma, 'ik weet wat knalbonbons zijn.' Ze zuchtte. 'Ik wilde je dit eigenlijk niet laten zien. Het is misschien een beetje gênant, maar...' Ze gebaarde dat haar vader haar moest volgen naar haar slaapkamer. Hij fronste zijn wenkbrauwen, maar kwam achter haar aan.

In de kamer liep Emma naar haar bed en kroop er vervolgens onder. Een paar tellen later kwam ze tevoorschijn met een oude, witte schoenendoos in haar hand. Op het deksel had ze met een paarse viltstift geschreven: 'Pas openmaken als het kerst is.' Toen ze de doos naar haar vader bracht, zag hij dat ze er nog een woordje bij had gezet. Met een klein pijltje naar de plek tussen 'het' en 'kerst' stond het woordje 'écht'.

'Wat is dat?'

Emma keek hem aan alsof ze nog steeds twijfelde of ze hem wel wilde laten zien wat erin zat. Toen haalde ze haar schouders op en gaf ze de doos aan haar vader. Hij tilde het deksel eraf en keek erin. In de doos zaten:

Een klein stukje zilverkleurige kerstslinger.

Een glanzende rode bal, met een haakje eraan, zodat je hem in een boom kon hangen.

Een gouden knalbonbon.

Een kleine krijttekening van de Kerstman die op zijn slee voor de maan langs vloog.

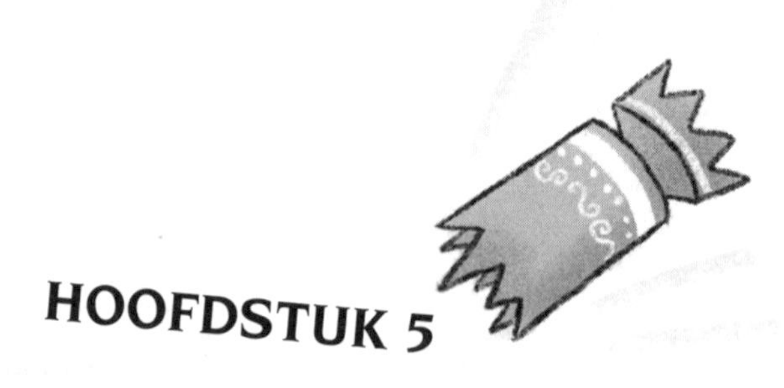

HOOFDSTUK 5

Kling klokje klingelingeling...

'Ik zie dat je toestemming hebt gekregen om de geheime kerstdoos te bekijken...' zei Bonnie, die de kamer weer in kwam. Jonas lag tegen haar schouder aan, en hij had zo te zien een hele tijd gehuild.

'Ja...' zei Gary. 'Eh... dank je, Emma.'

Weer haalde Emma haar schouders op. Gary stak zijn hand in de doos om de knalbonbon eruit te pakken.

'Voorzichtig!' riep Emma meteen. 'Die is al oud...'

Gary zag dat de kartonnen randjes van de knalbonbon al een beetje kapot gesleten waren. Hij knikte.

'Hoe kóm je aan al deze spullen?'

'Van oma Jo gekregen.'

Gary keek op.

'Mijn moeder?'

'Ja.'

Oma Jo, Gary's moeder, was een paar jaar geleden overleden. Emma had heel veel van haar gehouden. Oma had van dat haar gehad met zo'n vreemde blauwe kleur, en een bril die ze altijd schoonpoetste met een doekje dat ze in haar mouw bewaarde. Ze was klein, maar bleef altijd volhouden dat ze gekrompen was na haar jonge jaren, en daar moest Emma altijd om lachen. Een van Emma's mooiste herinneringen uit haar kleutertijd was op oma's knie zitten en naar haar verhalen luisteren.

'De laatste kerst die ze bij ons doorbracht...'

'Drie jaar geleden.'

'Ja... Ze nam me mee en gaf me al deze spulletjes. Ze had ze bewaard uit haar eigen jeugd. Ze vertelde me zo vaak over Kerstmis, over hoe dat vroeger was.'

Gary keek weer in de doos. Hij stak zijn hand erin en haalde de glimmende rode kerstbal eruit. Hij hield hem omhoog. Je kon allebei hun gezichten erin zien.

'Dit heeft ze niet bewaard uit haar jeugd,' zei hij zachtjes.

'Niet?' vroeg Emma.

'Nee. Dit heb ik voor haar gemaakt... toen ik klein was.'

Hij gaf de bal terug aan Emma. Ze keek er met extra verwondering naar.

'Dat is geweldig, pap. Hoe heb je dat gedaan?'

Hij glimlachte. 'Ik ben altijd al goed geweest met mijn handen, Emma. Ik heb het altijd leuk gevonden om dingen te maken.' Hij keek weer naar de doos. 'Maar... waarom heeft ze die dingen aan jou gegeven?'

Emma zei niets. 'Misschien wist ze...' zei Bonnie, die bij hen kwam staan. '... dat het haar laatste kerst zou zijn.'

Gary knikte. Hij zag er verdrietig uit.

'En ze zag natuurlijk dat Emma dol was op Kerstmis,' ging Bonnie snel verder. 'Dus...'

'Maar waarom heeft ze dit dan niet aan míj gegeven?' vroeg Gary.

'Je hebt me anders net zelf verteld wat je vond van Kerstmis voordat Winterzone het feest overnam,' zei

Emma. 'Je vond het maar een hoop werk. Heel veel gedoe.'

Gary deed zijn mond open om iets te zeggen.

'En bovendien werk jij voor Winterzone. Dus...' Ze stak haar armen naar voren en pakte de doos weer terug. Emma was altijd vrij zeker van wat ze wel en niet wilde – en wat ze wel en niet leuk vond. Wispelturig was ze absoluut niet. Dat was in veel opzichten ook heel goed, dacht haar vader terwijl hij haar aankeek. Maar als het om dit punt ging – om zijn baan –, zou het toch fijn zijn als ze ietwat minder zeker van haar zaak was.

'Trouwens, Emma,' zei Bonnie, 'je hebt nog geen verlanglijstje gemaakt voor kerst. We weten dat je die glinsterende halsband voor Wieps wilt hebben, maar je hebt verder nog niets gezegd...'

'Dat klopt,' zei Emma. 'Want ik wil niet dat al mijn pakjes worden bezorgd door drones. Ik hoopte...' Ze maakte de zin niet af.

'Dat de echte Kerstman ze zou komen brengen...' fluisterde haar vader tegen haar moeder.

'Pap, dat was waanzinnig slecht gefluisterd. Ik kan je horen, hoor. Maar: ja. Dat, dus.'

Hij knikte, maar trok een pijnlijke grimas.

'Ik hou van Kerstmis zoals het vroeger was,' zei Emma. 'Zoals in de verhalen die oma me altijd vertelde. Ze klinken veel beter dan de Winterzone-Kerstmis.'

'Emma,' zei hij. 'Toe nou, dit is mijn wérk. Het is niet eerlijk dat je me daar steeds over aanvalt.' Hij wachtte even. Emma keek hem aan. Ze voelde iets waarvan ze wist dat het niet hoorde, maar soms kon ze de gedachte dat haar vader een beetje een watje was niet onderdrukken. Ze draaide zich om.

Gary ademde diep in. 'En ik hoopte ook dat je...'

Hij zweeg.

'Wat?' Emma draaide zich weer terug.

'Ach, het doet er niet toe.'

'Wát, pap?'

'Op het werk zijn ze op zoek naar een kind voor Het Perfecte Cadeau Alsjeblieft, en...'

Weer liet hij de zin voor wat die was.

Emma staarde haar vader verbaasd aan. 'Waarom zou ik daarvoor worden gekozen?'

'Neem van mij aan,' zei haar vader, 'dat die kans groter is dan je denkt.'

Emma trok een wenkbrauw op. Ze wist niet wat ze ervan moest denken. Ze was niet dol op Winterzones versie van Kerstmis. Ze snakte naar iets anders, iets wat er niet meer was. Maar ze was ook nog steeds een kind, en kinderen houden van cadeaus. Volwassenen trouwens ook, laten we eerlijk zijn. Maar niet zoveel als kinderen. Ze deed haar mond open om antwoord te geven, al wist ze niet wat ze moest zeggen. Haar vader was haar voor.

'En het is niet waar dat wij... dat Winterzone... Kerstmis heeft verpest!'

Klingelingeling... rinkelde de deurbel ineens. Daar was Emma best blij mee, want als iemand die altijd heel duidelijk wist wat ze wilde, vond ze het maar niets dat ze niet wist wat ze moest zeggen.

De deurbel rinkelde overigens met *Kling klokje klingelingeling*... Of in elk geval speelde die de melodie van dat liedje op een plink-plonk-plingelmanier. Alleen leek de allerlaatste noot te ontbreken. Dus het klonk meer als *Plink plonkje plingelingeling… plink plonkje…* en dan niks meer.

'Ik ga wel,' zei Bonnie, en ze liep de kamer alweer uit. Bij Emma's deur bleef ze nog even staan. 'Die deurbel hebben we ook gekocht bij de Kerstsjop, als je het weten wilt,' zei ze.

HOOFDSTUK 6

XMX Bezorging

'Ik moet weer gaan,' zei Gary tegen Emma. Hij trok zijn jas al aan. 'Maar... alsjeblieft, Emma... doe dit voor mij. Ik snap het. Je vindt Winterzones Kerstmis niet leuk. Maar misschien... denk na over Het Perfecte Cadeau Alsjeblieft, alsjeblieft. Je kunt vragen wat je maar wilt!'

Hij liep naar haar toe en drukte een kus boven op haar hoofd. Emma keek naar hem op en haar gezicht werd net wat vriendelijker. Ze vond het nooit leuk als papa Een Goed Gesprek met haar kwam voeren. Ze vond het niet leuk dat hij voor Winterzone werkte. Maar ze hield wel van hem. Ze begreep dat veel van de dingen die hij vertelde over Kerstmis en Winterzone niet zijn schuld waren, dat hij ze wel móést zeggen.

'Oké, pap, ik zal mijn best doen.'

Ze liepen naar de gang waar Bonnie met een bezorger stond te praten.

'Nee, dat is niet voor ons...' zei ze net.

'Wat is hier aan de hand?' vroeg Gary.

'O, deze meneer is gewoon een beetje in de war. Dit pakje is voor een heel ander appartement,' ging Bonnie verder. Ze wees naar de deur verderop. 'Nummer acht. Dat is verderop in de gang.'

'Is dat voor mij?' vroeg de bezorger.

Emma keek op. De bezorger negeerde Bonnie en wees naar Emma's schoenendoos, die ze nog steeds in haar handen hield. Het deksel zat er niet op. In haar ogen was een reflectie van de zilveren kerstslinger en de rode bal te zien.

'Pardon?' zei ze.

'Sorry,' zei de man. 'Ik dacht dat je mij die doos kwam brengen. Om mee te nemen en ergens anders te bezorgen.' Hij liep naar haar toe en keek eens goed in de schoenendoos. Hij bleef er zelfs een opvallend lange tijd in kijken.

'Ja,' zei hij zacht. 'Zo te zien is deze doos voor mij bedoeld.'

Emma deed heel snel het deksel er weer op. 'Nee,' zei ze vastberaden. 'Deze is van mij.'

Ze keek bij die woorden op naar de bezorger. Hij droeg een rood uniform met een kleine, witte pet. De naam van het bedrijf waarvoor hij werkte was XMX. Hij had zich niet geschoren, dus er zat een redelijk dikke laag grijze en witte stoppels op zijn kin en wangen. Onder zijn werkpak zag ze duidelijk dat hij in zijn hele leven al aardig wat flinke maaltijden had gegeten.

Toen hij opkeek, viel haar op hoe treurig zijn ogen stonden. Emma fronste haar wenkbrauwen. Er was iets aan hem wat haar... bekend voorkwam. Maar voor ze daar verder over na kon denken, leek hij de bedroefdheid van zich af te schudden en glimlachte hij weer. Zijn tanden waren witter dan ze verwacht had, en zijn glimlach een stuk jovialer.

'Ach ja!' zei hij, en hij draaide zich om. 'Dag!'

Emma keek hem na.

'Wat een rare man,' zei Gary.

'Jij vindt iedereen raar die geen driedelig pak draagt en niet in statistieken spreekt,' zei Bonnie.

'Dat is echt niet waar!' zei Gary. En meteen raakten ze verzeild in een van hun ruzies.

Emma wilde weglopen, maar zag op de grond, vlak bij de deur, een kaartje liggen. Ze bukte zich om het op te rapen. Het was zo'n kaartje dat bezorgers in de brievenbus stoppen als ze een pakketje komen brengen en je niet thuis bent. Dat zal die man wel hebben laten vallen, dacht ze. Ze draaide het kaartje om. Daarop stond het adres van het magazijn van XMX.

Hmm, dacht Emma.

HOOFDSTUK 7

Ho ho ho

'Nee, joh, natuurlijk was dat niet de Kerstman!' zei Morris.

'Hoe weet jij dat?' vroeg Emma.

'Daar heb ik meer dan één reden voor. Zal ik ze opsommen?'

Morris was Emma's vriend van school. Ze ging vaak bij hem in de kantine zitten, net als nu, tijdens de lunch. Ze vond hem erg aardig, ook al was hij ervan overtuigd dat hij altijd gelijk had. Hij droeg een hemd met een stropdas en een jack, wat verder niemand op Basisschool Kreupelwoud deed, of ook maar hoefde te doen.

'Nee,' zei Emma, die wist hoelang Morris' lijstjes konden worden. Maar ze was te laat. Morris had zijn hand al opgetild en wees met de wijsvinger van zijn andere hand naar de duim.

'Eén: de Kerstman woont op de Noordpool, niet hier in de buurt.

Twee: de Kerstman is alleen op kerstavond niet op de Noordpool. Gisteren, toen je die bezorger ontmoette, was het negentien december.

Drie: de Kerstman draagt een groot, rood kerstmannenpak met een witte, wollige rand. Geen XMX-bezorgersuniform.

Vier: hij was met een... ik gok dit maar... busje naar jullie toe gereden. Hij kwam niet per slee die werd voortgetrokken door een stel vliegende rendieren.

Vijf: hij...'

'Ja, ja, ho maar weer, Morris,' zei Emma. 'Ik snap het al. Maar... díé Kerstman... over wie jij het nu hebt...'

'De échte,' zei Morris.

Emma glimlachte. Morris kon soms best irritant zijn, maar ze vond het fijn dat hij dit zei. En dat hij had geweten dat ze dat bedoelde.

'Ja, de echte... níémand weet waar hij nu is. Hij lijkt te zijn verdwenen. Het is net alsof hij... met pensioen is. Of zoiets.'

'Van wat ik heb begrepen...' Morris wachtte even. Hij keek over zijn schouder en weer terug naar Emma. Toen leunde hij meer naar haar toe, over zijn bord vol aardappelpuree heen (dat at hij het liefst, gewoon alleen aardappelpuree en verder niks) en liet zijn stem zakken. 'Ik heb begrepen dat Winterzone hem praktisch gedwongen heeft zijn baan op te geven.'

Emma keek hem fronsend aan. 'Waar heb je dat gehoord?'

Morris leunde weer naar achteren en keek zelfvoldaan voor zich uit. 'Ik heb zo mijn bronnen.'

'Van internet, dus,' zei Emma.

'Uiteraard.'

'Waarom zouden ze dat doen?' vroeg Emma.

'Omdat hij weet waar de lijken liggen,' zei Morris.

'Waar slaat dat nou weer op?'

'Geen idee, eigenlijk. Ik heb het een volwassene ooit horen zeggen. Maar volgens mij is de ware reden wel duidelijk: Winterzone wilde Kerstmis overnemen. Dan kunnen ze het natuurlijk niet hebben dat de echte Kerstman rondloopt en zegt: "Nou, nee, dát klopt niet. Dat is verkeerd. Dit is niet in de sfeer van het kerstfeest, of wel? Ho ho ho..." en dat soort dingen meer.'

Daar dacht Emma even over na. Een van de redenen dat Morris zo irritant kon zijn was omdat hij dacht dat hij óveral gelijk in had. En blijkbaar dacht hij dat nu ook als het ging om de Kerstman en Winterzone. Maar hoe langer Emma nadacht over wat hij zei, hoe meer ze bedacht dat hij gewoon gelijk had! *Dat klinkt echt alsof het klopt*!

'Mijn vader...' zei Emma.

'Degene die voor Winterzone werkt,' vulde Morris aan.

'Ja. Al heb ik er maar één, natuurlijk.'

'Yep. Geen idee waarom ik dat op die manier zei.'

'Oké. Raar. Maar goed, hij denkt dus dat ik dit jaar weleens gekozen kan worden voor Het Perfecte Cadeau Alsjeblieft...'

Morris' ogen werden groot. 'Wauw!'

'Ja... maar ik heb nog niet gezegd dat ik het doe.'

Morris staarde haar aan. 'Sorry, volgens mij lieten mijn oren het even afweten. Ik hóórde je zeggen dat je vader al zei dat je het zou kunnen zijn, maar dat jij er nog niet mee hebt ingestemd om dit jaar het kind van Het Perfecte Cadeau Alsjeblieft te worden. Maar dat klopt vast niet, toch?'

Emma zei niets.

'Je weet dat je dan om álles kunt vragen? En ze dat dan voor je móéten regelen?'

'Ja, Morris, dat weet ik. Ik... denk er nog even over na. Kun je ondertussen met me meegaan? Naar dat magazijn? Gewoon om even te kijken?'

'Waarnaar?'

'Naar die bezorger. Kijken of jij ook vindt dat hij op de Kerstman lijkt.'

Morris fronste zijn wenkbrauwen. Hij lepelde nog wat meer puree naar binnen. 'Moet ik mijn lijstje anders nog even opsommen?'

'Niet praten met je mond vol. En nee, dat hoeft niet. Ik begrijp wel dat jij niet gelooft dat hij de Kerstman is. Waarschijnlijk is hij dat ook niet. Natuurlijk niet. Maar... hij was toch wel geheimzinnig. Voor een bezorger. Dus wil ik graag gaan kijken.' Emma vroeg zich iets af... Misschien wist ze iets waardoor Morris mogelijk wel met haar mee zou willen gaan. 'En omdat jij zoveel weet... Je weet een hele hoop dingen – en je hebt ook heel vaak gelijk over de meeste dingen –, dus dacht ik: als jij nou meegaat, kan ik op jou rekenen om het zeker te weten.'

Morris slikte de hap aardappelpuree door. Hij haalde zijn schouders op.

'Oké, ik ga met je mee.'

Emma glimlachte. Morris dacht dan misschien dat hij overal gelijk in had, maar zíj had ook ergens gelijk in gekregen – met complimenten kwam je een heel eind.

HOOFDSTUK 8
De desbetreffende bezorger

'Wie?' vroeg Jada. Emma wist dat de vrouw Jada heette, want ze (de vrouw die op dit moment de klantenservice van het XMX-magazijn bemande, beter gezegd: bevrouwde) had een groot naamkaartje dat boven op haar rode uniform gespeld zat.

Emma keek naar het kaartje in haar hand, dat de bezorger bij haar thuis had laten vallen. Er stond geen naam op, alleen het adres van het XMX-magazijn. Dat magazijn was overigens niet de gezelligste plek die Emma ooit had bezocht. Emma's ouders waren niet rijk, dus ze was ook niet op erg veel prachtige plekken geweest, maar dan nog... het XMX-magazijn was een oud, rechthoekig gebouw met barsten in de meeste ramen en een hardnekkige geur waar toch echt iets van urine in te ruiken viel, waardoor het niet eens in haar top honderd voorkwam.

'Ik weet zijn naam niet,' zei Emma.

'Echt helemaal geen flauw idee hoe hij heet?' vroeg Jada.

Emma tuitte haar lippen. Er was wel iets wat ze wilde zeggen – een mogelijke naam –, maar als ze dat deed, zou Jada vast denken dat ze gestoord was. 'Hij was gewoon een bezorger van XMX die een paar dagen geleden bij ons voor de deur stond. Hij heeft dit kaartje achtergelaten...'

Emma schoof het kaartje door de opening onder het glazen scherm tussen haar en Jada in. Naast haar stond Morris alles gade te slaan. Het kaartje was inmiddels nogal gevouwen en zat onder de vingerafdrukken. Jada hield het omhoog, op een redelijke afstand van haar gezicht, om het te lezen.

'Ja,' zei ze toen. 'Dat is inderdaad het adres van ons magazijn. Maar normaal gesproken komen mensen hierheen om pakketjes op te halen die niet zijn bezorgd omdat ze niet thuis waren. Onze jongens laten deze kaartjes achter om dat de bewoner duidelijk te maken... maar ik zie hier nergens iets over een pakketje dat niet bezorgd kon worden...'

'Nee,' zei Morris, die nu voor Emma ging staan. Er was ondertussen een kleine wachtrij aan mensen achter hen: een man met een baby in een draagdoek tegen zijn borst, en achter hem een heel oud uitziende vrouw met een gehoorapparaat en een looprek. 'Dat hebben we net al uitgelegd. Hij probeerde een pakketje te bezorgen voor een ánder adres. Maar toen liet hij dit kaartje vallen. En we besloten hiernaartoe te komen om... wat meer informatie over hem te krijgen.'

Jada kneep haar ogen tot spleetjes en tuurde naar Morris. 'En over wat voor "informatie" heb je het dan?'

Morris keek haar knipperend aan. 'Dat bespreken we alleen met de desbetreffende bezorger, uiteraard.'

Jada ademde diep in. Ze schoof het XMX-kaartje via de opening onder het glas naar hen terug. 'Hoe oud ben je?'

Morris knipperde weer. 'Elf,' zei hij.

'Ik heb zo het idee,' zei ze, 'dat je ondanks die elf jaar denkt dat je alles weet. Dat je overal gelijk in hebt.'

'O, dat is attent van u,' zei Morris. 'Dat klopt inderdaad.'

Nu was het Jada die hem knipperend aankeek. Ze was zichtbaar verrast dat hij haar woorden opvatte als een compliment. 'Als je alles dan zo goed weet, kleine elfjarige meneer, misschien dat jij me dan de naam van die bezorger kunt vertellen, aangezien je vriendin dat niet kon. Dat is het enige wat ik vraag.'

Weer was er een woord – een naam – die Emma wanhopig graag wilde uitspreken. Hij lag op het puntje van haar tong. Ze moest haar lippen zelfs op elkaar klemmen om ervoor te zorgen dat de naam er niet toch tussendoor glipte.

'Ik weet zijn naam ook niet,' zei Morris.

'O,' zei Jada. 'Zo, zo. Dus dan weet je blijkbaar tóch niet alles.'

'Pardon,' zei de man met de baby in de draagdoek. 'Eh... Ik wil niet onbeleefd zijn, maar... kunnen we een beetje opschieten?' Hij gebaarde naar de baby, die rare gezichtjes begon te trekken. Zoals baby's wel vaker doen. Zo'n gezichtje waarbij je denkt: waarom trekt die baby zo'n gezicht? Zo'n gezicht alsof hij heel hard aan het PERSEN is? En twee tellen later weet je precies waarom.

Jada keek naar de twee kinderen die er nogal teleurgesteld bij stonden. Dat wil zeggen: Emma was teleurgesteld, Morris keek eerder verbaasd – misschien wel van het idee dat er iets was wat hij níét wist – en Jada keek al wat vriendelijker.

'Goed. Luister, je weet dus niet hoe deze bezorger heet. Zover zijn we al. Maar hoe zag hij eruit?'

Emma begon: 'Hij ziet eruit als...' Weer voelde ze dat woord, die naam, naar boven borrelen in haar hoofd. Het was zo moeilijk om het niet te zeggen! Jada keek haar aan alsof ze haar wilde aansporen. Morris, daarentegen, keek haar aan alsof hij het tegenovergestelde wilde doen van haar aansporen, wat dat ook mocht zijn. Hij fronste en schudde zijn hoofd.

En toch voelde ze dat ze de naam hardop wilde zeggen. Ze dacht dat als ze dat zou doen, het er misschien voor zou zorgen dat hij – de persoon aan wie deze naam toebehoorde – opeens zou verschijnen.

'Hij ziet eruit als...' herhaalde ze. 'Hij ziet eruit als...'

'Waaaah!' begon de baby te krijsen. 'Waaah waaaah!'

'O goeie grote griebelgrutjes!' zei de oude vrouw nogal luid. 'Wat is dat voor afgrijselijke geur? Ik zei: wat *is* dat voor afgrijselijke geur? Het lijkt wel alsof een heel vet varken dat alleen maar rotte eieren te eten krijgt een flinke boer heeft gelaten!'

'Eh...' zei de man. 'Het is al goed, baby. Sst, stil maar, ssssst.... Is hier misschien ergens een wc?' vroeg hij aan Jada.

'Ik geloof dat ik ga flauwvallen!' klaagde de oude vrouw. 'Waar komt dat toch vandaan? Ik heb mijn hele leven nog nooit zoiets walgelijks geroken en ik ga toch al vierennegentig jaar mee!'

'... de Kers...' begon Emma, die haar best deed

om over al het geroep heen gehoord te worden.

'Wie?' vroeg Jada.

'De Kers!'

'OMG!' zei Jada, en ze sloeg een hand voor haar neus en mond. 'Ze heeft gelijk. Het spijt me!' Ze hing snel een bordje op met de mededeling LOKET GESLOTEN en draaide zich om. Ze haastte zich naar een van de ruimtes achter in het magazijn, waar je haar nog kon horen hoesten en kokhalzen.

'Nee, maar ik wilde dus net zeggen DAT HIJ ERUITZIET ALS...' zei Emma.

En voor ze het wist, stond ze buiten, voor het magazijn.

HOOFDSTUK 9

Een stokoud dood stinkdier

Morris ademde heel moeizaam. Hij snoof – nogal luid – in door zijn neus en blies de adem – eveneens luid – door zijn mond weer naar buiten.

'Gaat het?' vroeg Emma.

Morris gebaarde wat met zijn hand. Het had 'ja' kunnen betekenen, maar ook 'nee, totaal niet'. Hij leek niets te kunnen uitbrengen.

'Sorry... ik was aan het praten... en ik ademde niet in door mijn neus... dus rook ik ook niet...'

'Het was net een stokoud dood stinkdier! NEE,

NOG VEEL ERGER DAN DAT!'

'Het spijt me, oké? Het spijt me heel erg.'

Ze keken om en zagen de oude vrouw het magazijn verlaten, maar pas nadat ze de jonge man met de baby van alles naar het hoofd had geslingerd. De baby zag er in elk geval al wat blijer uit.

'Oké,' zei Morris happend naar adem. 'Ik denk dat ik weer kan praten.'

'O, gelukkig.'

'Sorry dat ik je naar buiten duwde,' zei Morris. 'Dat kwam deels door die stank, maar ook omdat ik niet wilde dat je zou zeggen wat je wilde zeggen.'

'Wat? "Kerstman"?' vroeg Emma.

'Ja?'

Nu fronste Emma haar wenkbrauwen, want dat antwoord kwam niet van Morris.

'Wie zei dat?' vroeg Morris. Wat dus eigenlijk een twééde hint is dat hij niet degene was die 'Ja?' had gezegd.

Emma keek om zich heen. Aan de achterkant van het magazijn was een geasfalteerd terrein. Vanaf haar plek zag ze alleen maar rode bestelbussen staan. Maar toen hoorde ze iemand hoesten. Ze keek naar Morris. Morris keek naar haar. Het werd langzaam donker. Ze waren vanuit school langs het magazijn gegaan – dat was maar een korte omweg van de gebruikelijke weg naar huis – en Emma wist dat haar moeder zich langzamerhand zorgen zou gaan maken. Toch liep ze op de stem af.

HOOFDSTUK 10

Papa Noël

Op een rood kratje aan de achterzijde van het magazijn zat een man. Hij zat precies in de schaduw van een stenen muur, hij was dus lastig te ontdekken. Emma keek hem aan door dichtgeknepen ogen. Ze was er vrij zeker van dat dit de man was die laatst bij haar thuis had aangebeld. Hij had vandaag nog meer stoppels. Zo lang dat ze samen bijna een baard vormden.

'Hallo?' zei ze vragend. De geur van urine was een stuk sterker aan deze kant van het gebouw. Ze hoopte van harte dat die niets met deze man op het krat te maken had. 'Was u het die daarnet "Ja?" zei?

'Wat?' zei de man zonder op te kijken.

'Toen ik... die naam hardop zei. Zei u toen "Ja?"?'

'Welke naam?'

Emma schaamde zich alweer een beetje. Maar ineens dook Morris vlak naast haar op en zei luidkeels: '"Kerstman."'

Nu keek de man wel op. En terwijl hij dat deed, flitste er een lichtje. Het was geen stralend licht van een ster of een prachtige regen van glitters of zo, maar de lamp van een bewakingscamera aan de zijkant van het XMX-magazijn. Dat wierp een beter licht op hem, en nu wist Emma heel zeker dat het dezelfde bezorger was die laatst bij haar voor de deur had gestaan.

Wat ze dankzij het licht ook zag – want hij had nu zijn pet niet op – was zijn witte haar, net als een witte bijna-baard. Die glansde in het licht, en er leek ook iets in te zitten wat volgens Emma leek op eigeel.

'Nee,' zei hij, en hij keek weer naar de grond.

'Wel waar!' zei Morris. 'Zeker weten van wel! Zij zei: "Wat? 'Kerstman?'" en toen zei u "Ja?"'

'Niet waar,' zei de bezorger.

'Wel waar,' zei Morris.

'Nietes.'

'Welles.'

'Nietes.'

'Oké,' zei Emma, die opeens het idee kreeg dat ze misschien wel te maken had met twéé mensen die geloofden dat ze altijd gelijk hadden. 'We doen het anders. Bent u de man die kortgeleden bij mij thuis is geweest? En dit kaartje heeft achtergelaten?'

Ze hield het kaartje omhoog. De bezorger staarde er een ogenblik naar. Hij stond op en je kon zijn knieën horen kraken.

'Aaarrrggghhh...' zei hij.

'Is alles in orde?'

'Wat? Ja. Dat geluid maak ik altijd als ik overeind kom. Dat zullen jullie ook wel doen als je eenmaal zo oud bent als ik. Nou ja, niet dat jullie ooit zo oud zullen worden als ik...' Zijn stem stierf weg.

'Sorry, wat zei u?' vroeg Emma.

'Niets.'

Hij nam het kaartje van haar aan en bestudeerde het.

'Kan best...' zei hij toen. 'Ik kom bij zoveel mensen aan de deur. Ik ben pakketbezorger.'

'Luister,' zei Morris. 'Kunnen we even ter zake komen? Zij denkt dat u de Kerstman bent.'

'Eh...' zei Emma. 'Ik weet niet of dat nou precies is wat ik d...'

Morris stak zijn hand op om haar de mond te snoeren. 'Dus. Bent u de Kerstman?'

De bezorger keek hem fronsend aan. 'Wie?'

'Wie?' zei Morris. 'Wíé? Dat weet u toch wel! De Kerstman. Santa Claus. Kris Kringle. Father Christmas. Nikolo. Papa Noël.'

'Sorry, watte?' vroeg Emma.

'Zo wordt hij in Egypte genoemd.' Morris keek weer naar de man. 'Baba Tsjagaloe.'

'Wat?'

'Zo heet hij in Afghanistan.' Hij wachtte even en

stak zijn wijsvinger in de lucht, alsof hij een ingeving had. 'Zal ik het er anders meteen even bij zeggen? Dat gaat denk ik sneller. Deda Mraz. Servië.' Hij keek weer naar Emma. 'Dat betekent "Grootvader Vorst" of "De Oude Winterman".' Hij draaide zich terug naar de bezorger. 'Hotei-Osho!'

'Gezondheid,' zei Emma.

'Nee, dat is de naam van een boeddhistische monnik in Japan die het equivalent is van de Kerstman.'

'Jeetje, Morris. Jij weet echt heel veel dingen,' zei ze. 'Niet dat het allemaal even relevant is voor wat we hier proberen uit te vinden...'

'Inderdaad,' zei de bezorger. 'En bovendien, ik ben het niet. Geen van die mensen.'

'Maar het is dus allemaal dezélfde persoon. Met een hoop verschillende namen,' legde Emma uit.

'Wat interessant,' zei de man. 'Ik moet gaan.'

Hij wilde weglopen. Morris leek weer een ingeving te hebben. 'Waarnaartoe?' vroeg hij snel.

'Naar de Noordpool,' zei de bezorger zonder zich

om te draaien. En ineens bleef hij staan. Hij drukte een hand tegen zijn wang, draaide zich om en zei: 'O, hemeltje! Nu heb ik me versproken! Je hebt me betrapt! O, wat een slimme Sherlock ben je toch! Ja, ik ben uiteraard wél de Kerstman.'

'Dit is sarcastisch bedoeld, of niet soms?' vroeg Emma.

'Jazeker,' zei hij.

'Ho ho ho,' zei Morris.

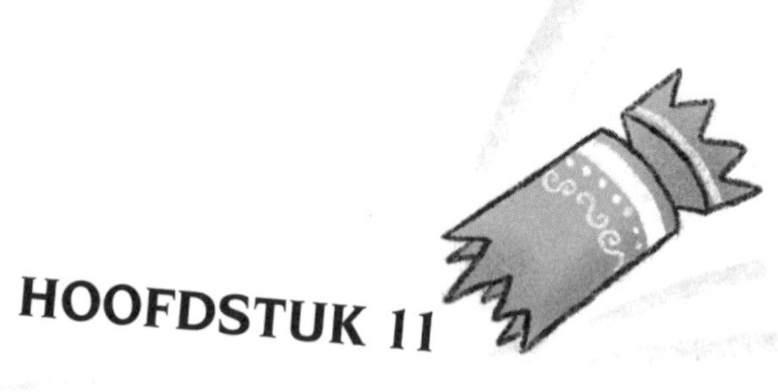

HOOFDSTUK 11

Absoluut niet de Kerstman!

'Nee,' zei Morris. Ze liepen weg bij het magazijn.

'Nee,' zei Emma. 'Mee eens. Je hebt gelijk. Alweer.'

'Uiteraard,' zei Morris.

'Ik bedoel, je hebt écht gelijk. Zeker weten. Hij is absoluut niet de Kerstman.'

'Hij is gewoon een pakketbezorger.'

'Ja, dat is hij. Het was een stom idee.' Emma zuchtte. Ze bleef staan. 'Ik kom veel te laat. Ik denk dat ik mijn moeder even moet bellen.' Ze pakte haar telefoon. Ze mocht een telefoon hebben, ook al was ze pas elf, omdat haar moeder vaak moest werken en haar vader niet bij hen woonde. Haar moeder had haar de telefoon gegeven omdat ze haar niet elke dag van school kon ophalen.

Ze koos voor videobellen.

'Ik denk...' zei ze, terwijl ze wachtte tot haar moeder zou opnemen, 'dat ik haar net zo goed mijn verlanglijstje voor Kerstmis kan geven. Want ik denk dat ik toch nog wel wat cadeautjes wil. En ik denk... Ik zeg best wel vaak "ik denk", hè?'

Morris knikte.

'Ik denk dat ze dan net zo goed door drones of wat dan ook bezorgd kunnen worden, zoals gewoonlijk.'

Morris knikte weer. Hij vond het wel zielig voor Emma. Hij geloofde graag dat hij heel veel dingen wist, maar hij wist helaas niet wat hij moest doen om ervoor te zorgen dat de wereld – en Kerstmis – waren zoals zijn vriendin ze graag wilde hebben.

Emma hield haar telefoon in de lucht. Ze had hier blijkbaar weinig bereik. Opeens verscheen er een gezicht op het scherm – maar niet dat van haar moeder. Het was een vriendelijk, glimlachend gezicht. Of althans, dat was de indruk die dat gezicht leek te willen wekken.

'Hallo, Emma.'

'Eh... wie is dit?' vroeg ze.

'Noem me maar Bry,' zei het gezicht.

HOOFDSTUK 12
Techno-genie

'Wat gebeurt hier?' vroeg Emma, die midden op straat bleef staan.

'Emma! Het punt is... Het is oké. Het is helemaal oké,' zei Bry. 'Kijk, hier is je vader!'

Het beeld op het scherm bewoog. Het leek alsof de telefoon niet werd vastgehouden door de man die aan het woord was. De camera draaide door een grote ruimte, meer een zaal dan een kamer. Emma zag haar vader met een aantal andere volwassenen die om hem heen stonden. Hij was een stuk lager dan zij, zo te zien zat hij diep weggezakt in een of andere reusachtige zitzak.

'Eh...' zei haar vader, die zich iets overeind probeerde te duwen, naar de camera toe.

'Ja, daar is hij,' zei Bry. De camera werd toen weer op hem, Bry, gericht. 'Goed. Het punt is dus...'

'Dat zeg je wel vaak,' zei Emma.

'Dat is wat ik doe. Het is mijn ding om heel vaak een punt te maken. Dus, het punt, Em, is... Mag ik je Em noemen?'

'Nee,' zei Emma. 'Niemand noemt me Em.'

'Oké,' zei hij met een grinnik. 'Tja, Emma. Sorry dat ik je telefoontje heb onderschept...'

'Pap... heb jij hem dit laten doen?'

'Nee, Em,' zei haar vaders stem buiten beeld.

'Ik dacht dat niemand jou Em noemde?'

'Oké, mijn vader zegt dat soms tegen me,' zei Emma. 'En mijn moeder. Maar u bent niet mijn vader of mijn moeder.'

'Ja, eh... goed, Em...' klonk haar vaders stem gehaast. 'Ik wist hier niets van, maar blijkbaar is Winterzone in staat om...'

'Telefoongesprekken te onderscheppen, in een actieradius van... wat is het inmiddels, Raisa?' vroeg Bry, die even naast het scherm leek te kijken.

'De hele wereld,' sprak een onbekende vrouwenstem. Die was kennelijk afkomstig van degene die de camera vasthield.

'O! Fantastisch!'

'Ja, is dat fantastisch?' vroeg Morris. 'Het is hacken.'

'Hallo! Morris, als ik het juist heb?' zei Bry, die zijn blik nu op hem richtte.

'Eh... ja.'

'Morris Cohen, Edisonlaan 41[a]. Elf jaar en drie maanden oud. Meest bezochte websites: Infopedia, Kennis punt com, Wijsneus punt net...' sprak de vrouwenstem achter de telefoon.

'Hé! Hoe weten jullie dat allemaal?' vroeg Morris.

Emma keek naar haar vriend. 'Het klinkt niet alsof je het echt erg vindt...'

'Nee, ik ben gewoon benieuwd hoe iemand zóveel te weten komt.'

'Technologie, Morris,' zei Bry. 'Al noem ik het liever techno-genie.'

'Om mijn punt te maken... Het punt is... Ja, wij weten alles. En omdat we toegang hebben tot alle bewakingscamera's in de stad en op straat, en dus ook alle beveiligingscamera's rondom de magazijnen van de pakketbezorgdiensten, weten we ook waar jullie nu net zijn geweest en wat jullie daar hebben gezegd.' Bry's glimlach leek breder te worden, maar op de een of andere manier werd hij er beslist niet vriendelijker op. 'En wij van Winterzone zijn heel benieuwd wat de reden daarvoor is.'

HOOFDSTUK 13

Dat is geen mantra!

'Bryan...' zei Gary, die zich op een of andere manier uit de zitzak had weten te hijsen.

'Bry!' riep Bry.

'Ja, ook goed...' Hij liep op Bry af. Raisa gleed – bijna alsof ze geen voeten had – naar voren om tussen hen in te gaan staan. Uitdrukkingsloos keek ze hem aan. Gary deinsde iets naar achteren en zei op een wat kalmere toon:

'Ik voel me er niet, eh... heel prettig bij dat je, eh... mijn dochter bedreigt.'

'Hé. Ik bedreig haar niet. Bedreig ik haar, jongens?'

'NEE!' zeiden Hamnet, Fester en CWX25.

'JA!' riep de andere Hamnet.

'Sst, stil jij, stomme kaketoe,' zei Hamnet.

'Nee, dat doe ik niet, Gary,' zei Bry. Hij tuurde weer in de camera van de zeer glimmende, strakke telefoon die inderdaad door een van Raisa's handen voor hem in de lucht werd gehouden. 'Je begrijpt het toch wel, Emma?'

Op het scherm fronste Emma haar wenkbrauwen. 'Nee... niet echt.'

'Ik zal het even uitleggen. Winterzone. Is een platform. Geen uitgever. Een platform.'

'Ik kan u echt totaal niet volgen,' zei Emma.

'Ik ben nog niet klaar met uitleggen. Wat ik bedoel te zeggen is: wij zijn een plek waar... Kerstmis doorheen stroomt.'

'Een plek waar Kerstmis doorheen stroomt,' zeiden Fester, Hamnet, Hamnet en Raisa met enige nadruk. Ook dat was een mantra.

'Een plek... yeah, yeah... waar Kerstmis doorheen

stroooooomt!' zong CWX25.

'Is dat eigenlijk wel een bestaand liedje?' vroeg Fester.

'Volgens mij niet. Ik denk dat er ergens een kink in een draadje zit,' zei Gary. 'Hij doet het al een poosje niet zo goed...'

'Kun je er nou eens over óphouden, Gary!' zei Hamnet.

'Dus alles is helemaal goe-oe-oed,' ging Bry verder. 'Er is geen goed of fout. Er zijn geen winnaars en verliezers bij Winterzone.'

'Geen winnaars en verliezers bij Winterzone!' zeiden alle anderen min of meer in koor.

'Zolang alles maar.... kerstmissig is. Ja, toch?'

'Ik snap het nog steeds niet, Bry,' zei Emma. 'Pap... is dit serieus je baas?'

'Eh, ja,' zei Gary.

'Nee, geen "baas",' zei Bry. 'Iedereen hier heeft hetzelfde niveau.'

'Iedereen hier,' begon iedereen, 'heeft hetzelfde ni...'

'DAT IS GEEN MANTRA!' schreeuwde Bry. Hij sloot zijn ogen en ademde diep in.

'In... Uit... In... Uit...' zei Raisa.

'Ja, ja, Raisa, ik weet hoe ik moet ademhalen. Mijn punt is, Emma, ik heb je vader hier laten komen omdat ik jou – en hem – wilde laten zien dat dit een veilige plek is. En op deze veilige plek kan ik tegen jou zeggen dat wij van Winterzone écht niet zo goed begrijpen waarom jij en je vriendje Morris Cohen naar een XMX-magazijn zijn gegaan om vreemde vragen te stellen aan de mensen die daar werken, en nog een stel veel vreemdere vragen aan een van de bezorgers aan de achterzijde. MAAR... en ik wil dat dit echt heel duidelijk is... ik ga het gewoon zeggen. Ik wil dat dit gezegd is. Wij staan vierkant achter vrijheid van meningsuiting, en dat betekent dus ook dat ik dit zo tegen je kan zeggen, en dat jij dan de bal weer terug kunt rollen en zeggen wat jij ervan vindt...'

'Wat ik vind?'

'Ja. Je kunt me gewoon vertellen wat je vindt. Misschien kun je me, als onderdeel daarvan, vertellen wat er precies in JOUW hoofd omging en wat JIJ dacht toen je besloot daarnaartoe te gaan en die vragen te gaan stellen.'

'Hé, Bry... Ik voel me er ook niet heel prettig bij dat je mijn dochter dit soort dingen vraagt,' zei Gary.

Raisa, die nog steeds tussen Gary en Bry in stond, knipperde een paar keer met haar ogen. Bry zei: 'Oké, dat snap ik. Natuurlijk.' Hij gebaarde naar Raisa, die de telefoon weer draaide, zodat de camera op Gary gericht was. 'Misschien kun jij het haar dan vragen.'

'Pardon?' zei Gary.

'Misschien kun jíj je dochter dan vragen waarom ze naar het XMX-magazijn is gegaan en met die vent aan de achterkant van het gebouw is gaan praten, als je je er niet prettig bij voelt dat ík dat doe.'

Gary stond er verloren bij. Hij keek in de camera. Zijn dochters gezicht keek hem aan. Raisa hield de telefoon met haar ene hand nog dichter voor zijn neus. Haar andere hand leek steviger dan ooit op de oranje handtas met de groene klemsluiting te rusten.

'Ik...' begon hij. 'Emma, ik...'

'Het is al goed, pap,' zei Emma.

'Echt?' vroeg Gary.

'Ja, echt. Ik wil je geen problemen bezorgen op je werk. Het spijt me dat we naar het XMX-magazijn zijn gegaan. Het spijt me dat we die man op het terrein erachter rare vragen hebben gesteld. Het was gewoon een stom idee. Een stom, kinderachtig idee. Dat snap ik nu. Geen zorgen, pap... en Bry, en iedereen van Winterzone... ik zal zoiets niet nog een keer doen. Goed?'

Gary keek naar haar. Hij voelde zich opgelucht.

'Dank je, Emma,' zei hij. Raisa trok haar hand weer iets terug en richtte de telefoon weer op Bry.

'Yes!' zei Bry. 'Dank je wel, van ons allemaal.' Hij hield zijn handen tegen elkaar met de handpalmen naar boven gericht. 'Je bent overduidelijk een fantastische meid. Die begrijpt wat belangrijk is. En die... misschien... ook wel... een geweldige kandidaat zou zijn voor Het Perfecte Cadeau, Alsjeblieft!'

Er steeg een gejuich op – een luide 'JAAA!' – van Hamnet, Hamnet en Fester.

Emma zei niets.

Raisa klikte het gesprek weg. Gary keek weer naar Bry, die hem aankeek met de vriendelijkste glimlach die hij had. Hij keek Gary zelfs een heel lange poos aan, zonder het oogcontact te verbreken. Gary keek Bry aan en vroeg zich af wanneer het in orde zou zijn om zijn ogen ergens anders op te richten. Hij hoopte dat het niet lang meer zou duren, want het werd afschuwelijk ongemakkelijk.

'Groepsknuffel!' riep Bry uiteindelijk.

'HOERA! GROEPSKNUFFEL!' riepen Fester, Hamnet en Hamnet. Iedereen – zelfs Hamnet de kaketoe, die met zijn vleugels wapperde als beste imitatie van een knuffel – kwam om Gary en Bry heen staan voor een knuffel. Iedereen, behalve Raisa, die alles alleen maar kalmpjes gadesloeg. En CWX25, die de verkeerde kant op was gelopen en nu de zitzak omhelsde.

HOOFDSTUK 14

Megafoonhanden

'Dus...' zei Morris terwijl Emma het gesprek beëindigde, 'dat was het? Hebben we jouw idee nu opgegeven? De standaard door drones bezorgde, door Santavatars opgeleukte Winterzone-versie van Kerstmis gaat vanaf nu met volle kracht vooruit?'

'Weet je wat het is, Morris?' zei Emma. 'Ik had het inderdaad willen opgeven. Nee, ik hád het al opgegeven. Maar vraag je eens af: wáárom zou Winterzone zich er zo druk om maken dat wij naar XMX zijn gegaan om die bezorger te vragen of hij toevallig de Kerstman is? Waarom zouden ze daar zo dolgraag een stokje voor willen steken?'

Morris draaide zich om.

'Wat? Ah, toe nou, Morris! Jij bent toch die jongen die zogenaamd alles weet? Dan kun je toch wel nagaan wat dit betekent?'

'Ja, dat kan ik zeker. En jij kunt vast wel nagaan waarom ik deze kant op loop... En waarom we dus eigenlijk allebei rechtsomkeert moeten maken om nog een keer te gaan praten met...' Hij zette zijn handen aan zijn mond, zoals mensen weleens doen wanneer ze iets willen schreeuwen, om van hun handen een soort megafoon te maken, al had Morris je natuurlijk ook kunnen vertellen – omdat hij zoveel dingen wist – dat je daardoor niet opeens een luidere stem krijgt, maar goed, hij deed het toch en riep: 'DE KERSTMAN!'

DEEL TWEE:
NOG STEEDS
DE NABIJE TOEKOMST

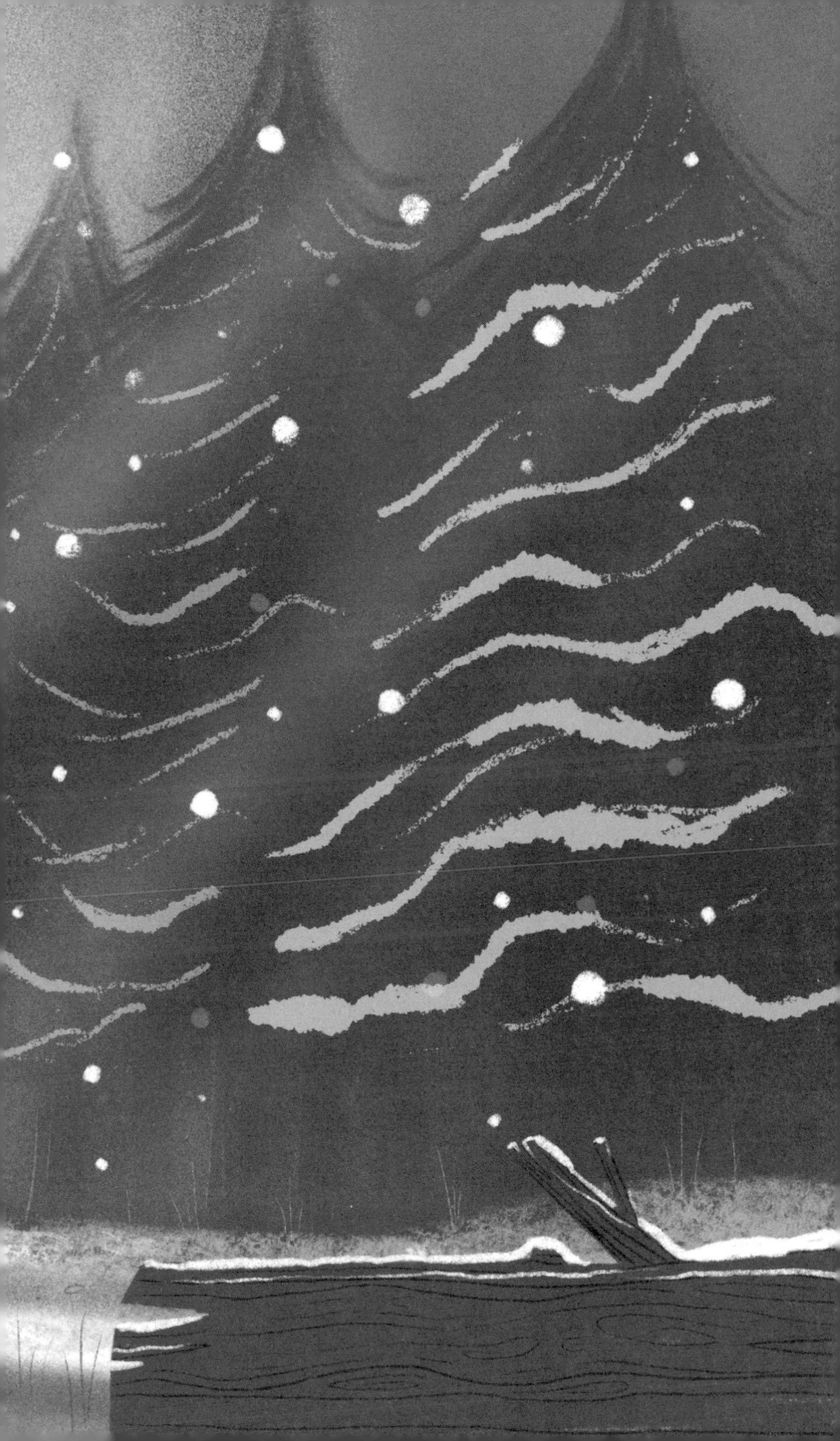

HOOFDSTUK 15

Surveillance

Morris en Emma liepen regelrecht terug naar het XMX-magazijn, maar tegen de tijd dat ze daar aankwamen, was het al gesloten. Gelukkig hadden ze de volgende dag een studiedag en waren ze vrij. Wat betekende dat ze nog een keer naar XMX konden gaan.

Morris had een idee. In plaats van weer naar binnen te lopen en de bezorger allerlei vragen te stellen, zouden ze er dit keer een surveillancemissie van maken. Een surveillance, zo legde hij uit, is wanneer twee rechercheurs van de politie of twee privédetectives, want dat kan ook – hij vond het heel belangrijk om dit duidelijk te maken – in een auto zitten en donuts eten en koffie drinken terwijl ze stiekem iemand in de gaten houden bij zijn huis of op zijn werk in de hoop iets geheims te ontdekken.

'We hebben geen auto,' zei Emma meteen. 'En ik drink geen koffie.'

'Nee,' zei Morris. 'Maar ik heb wel een paar donuts. Mijn tante maakt ze wel vaker, vooral rond deze tijd van het jaar...'

Hij pakte een papieren zak. Emma keek erin. De donuts (het waren er vier) waren klein, maar ze zagen er heerlijk uit – vol met jamvulling en een dikke laag suiker erop.

'Oké!' zei ze, en ze pakte er eentje en propte die in haar mond.

Anderhalf uur later waren er geen donuts meer over, waren hun handen plakkerig van de suiker en hadden ze nog helemaal niemand gezien, behalve een paar klanten die pakketjes bij het XMX-magazijn kwamen ophalen. Morris en Emma zaten op een bankje aan de overkant van de straat, en vonden er maar niks aan.

'Dat surveilleren is in films altijd veel spannender,' zei Morris.

'Misschien komt dat doordat ze daar warme auto's hebben om in te zitten. En koffie,' zei Emma.

'Ja, en ze lijken altijd een oneindige voorraad donuts te hebben. Niet maar vier. Zullen we het opgeven?'

Emma knikte. Het was bijna tijd voor de lunch, en die donuts hadden haar op een of andere manier alleen maar hongeriger gemaakt. Ze vroeg zich net af wat haar moeder zou maken voor de lunch toen Morris zei: 'Wacht! Is dat 'm niet?'

Emma keek op. Ze zag een flits van een witte baard onder een (rode) sjaal. Hij droeg ook een rode – ze begon zich af te vragen of dit soms een hint was – pet.

'Ja. Zeker weten.'

'Laten we hem volgen.'

'Echt?' vroeg Emma.

'Ja. Dat is de hele bedoeling van een surveillance. Wat heeft het anders voor nut? Het kan niet alleen maar om donuts draaien!'

'Oké dan,' zei ze, maar Morris was al opgestaan en de straat op gerend om achter de bezorger aan te gaan.

HOOFDSTUK 16

Sneeuw

'Waar gaat hij nú weer heen?' fluisterde Emma.

Ze volgden de bezorger al bijna een uur. Hij was door de Hoofdstraat gewandeld. Die was verlaten en veel van de winkels waren dicht. Emma herinnerde zich dat dat niet altijd zo was, vooral niet zo vlak voor Kerstmis. Ze had vage herinneringen aan een keer dat ze rond kerst met oma Jo ging winkelen, lang geleden. Toen waren al die winkels tot laat opengebleven en liepen de mensen in en uit. De straat was zo versierd geweest met lichtjes dat het leek of er duizend vuurvliegjes boven haar en oma in de donkere hemel vlogen.

De leegte en de stilte maakten het Morris en Emma wel wat moeilijker om de bezorger te volgen zonder dat hij hen zou zien, want ze konden zich achter niemand verstoppen als hij zich ineens omdraaide. Maar dat deed hij toch niet. Hij sjokte maar door en door.

Eindelijk sloeg hij af, een weg in die naar het park leidde. Emma en Morris kenden het park allebei erg goed – hun school organiseerde hier af en toe een sportdag. De bezorger sloeg weer af en liep nu tussen een aantal bomen door naar een wat bosrijker deel waar de kinderen normaal gesproken niet kwamen.

Ze bleven staan en keken elkaar aan.

'Zullen we het bos ingaan?' vroeg Emma.

'Waarschijnlijk is het beter van niet...' zei Morris. 'Dit stuk van het park ken ik niet. Straks verdwalen we nog.'

'Ook goed. Jij zult het wel weten,' zei Emma.

Hij knikte. Het bleef even stil. En toen liepen ze

samen naar de bomen toe.

Het was midden op de dag, maar sommige stukken in het bos waren best donker. Zonlicht glinsterde wel tussen het bladerdak door, maar daar waar Emma en Morris liepen, was bijna alleen maar schaduw.

'Welke kant ging hij op?' vroeg Emma.

Morris schudde zijn hoofd. Zijn betweterigheid begon wat scheurtjes te vertonen.

'Kunnen we hem niet op de een of andere manier opsporen? Volgens mij heb ik daar weleens iets over gezien bij een natuurdocumentaire,' zei Emma.

'Dat gaat over dieren,' zei Morris. 'Die kun je vinden door hun uitwerpselen te volgen.'

'Hun wat?'

'Poep. Dat doe ik liever niet bij een volwassen persoon.'

'Oké, dan zijn we hem kwijt... O!' zei ze.

'Wauw,' zei Morris.

Ze keken nu allebei naar een bijzonder stukje van het bos dat zich voor hen uitstrekte.

In deze tijd sneeuwde het niet meer, zelfs niet in

december. Mensen wisten wel wat sneeuw was, vooral dankzij verhalen en films en computersimulaties die door Winterzone waren gecreëerd, maar ze zagen die sneeuw nooit met eigen ogen. Er was iets veranderd in het klimaat. Dus ook al zagen mensen de sneeuw wel op hun scherm, ze voelden hem niet. Ze ervoeren niet die stilte, de kalmte, de manier waarop het leven zachtjes verschoof met het licht, met het witte laagje dat stilletjes neerdwarrelde op de aarde.

Morris en Emma hadden dat in elk geval nooit gevoeld.

Maar nu wel.

HOOFDSTUK 17

Het Huisje van de Kerstman

'Dit is fantastisch!' riep Emma, die eropaf holde. Het was geen heel dikke laag sneeuw, maar wel dik genoeg om erin te springen en erdoorheen te rollen. Het was zelfs diep genoeg voor Morris, die sneeuwballen rolde en naar Emma gooide alsof hij dat zijn hele leven elke winter had gedaan, terwijl zij doorrolde en hetzelfde bij hem deed. Ze keken omhoog en het was net alsof de sneeuw zojuist pas op de takken van de bomen was ontstaan en vanaf daar naar beneden dwarrelde, op de een of andere manier.

'Het is vreemd,' zei Morris, die rechtop ging zitten. 'Het lijkt wel of het alleen in dit kleine stukje van het bos heeft gesneeuwd.'

'Huh?' zei Emma.

'Ik bedoel: we stonden net daarzo, en daar sneeuwde het niet. Nu nog steeds niet. Maar hier wel.'

'Hé,' zei Emma, die zich niet zoveel aantrok van de vreemde weersomstandigheden. 'Kijk! Sneeuw betekent...' Ze stond op en rende naar...

'Voetafdrukken!' zei Morris.

'Dan hebben we geen poep nodig!'

'Pardon?'

'Uitwerpselen!'

'O... nee!' zei Morris.

Het spoor liep door tot in de verte. 'Kom mee,' zei Emma, 'voordat het smelt!'

Ze holden achter de voetafdrukken aan. Ze waren eenvoudig te volgen. Want als we één ding weten over deze bezorger, dan is het wel dat hij niet bepaald mager was, dus liet hij behoorlijke voetafdrukken achter... die vrij ver wegzakten in de best wel diepe sneeuw. Emma en Morris renden samen verder, hun ogen op het spoor gericht. De afdrukken leken net een pijl die hun de weg wees.

Het spoor maakte een bocht achter een behoorlijk dicht opeenstaand groepje bomen. Ze volgden de voetstappen.

'Misschien...' zei Emma hijgend, 'misschien staat er hier... aan het einde van het spoor... wel een huisje! Het huisje van de Kerstman! Maar dan zijn echte huis. Misschien heeft hij het wel van de Noordpool weggehaald en is hij verhuisd naar...'

'De ezelboerderij van Kreupelwoud,' zei Morris.

'Dat is wel heel specifiek.'

'Nee,' zei Morris. 'Hou op met naar die afdrukken staren en kijk op.'

Vlak voor hen stond een versplinterd en kapot houten hek. Achter dat hek stond een versplinterd, houten huis... of eigenlijk was het meer een soort schuurtje. Met een bordje aan de voorkant waarop stond: EZELBOERDERIJ VAN KREUPELWOUD.

HOOFDSTUK 18

De ezelboerderij van Kreupelwoud

'Ik heb dit al met je besproken. Hij móét wortels hebben.'

'Ze hébben geen wortels. Dat zeg ik elke keer weer.'

'Dit is een ézelboerderij. Ezels eten altijd wortels!'

'Nee, dat doen ze niet. Alleen in tekenfilms. Of in verhalen waarbij je leert of je muilezels – wat trouwens maar hybride ezels zijn, want ze zijn half paard – beter in beweging krijgt met wortels of met de stok.'

'Dat antwoord is zeker weten "wortels"!'

'Ja, maar normaal gesproken krijgen ze dus geen wortels. Ze eten hooi of gras. Wat hier ook klaarligt om te eten.'

Emma en Morris waren getuige van dit gesprek vanachter de deur van de ezelboerderij van Kreupelwoud. Er zaten een hele hoop gaten in die deur, dus was het niet heel lastig om alles te kunnen zien en horen.

Het was een gesprek tussen de bezorger, die degene was die volhield dat er wortels moesten zijn, en een andere man, gekleed in een groen werkpak met een rode muts met zo'n bolletje eraan, die steeds zei dat er dus geen wortels waren. Die andere man had ook een baard, maar die was korter dan die van de bezorger, die vandaag toch echt al een indrukwekkende lengte had gekregen. En de baard van die andere man was bovendien rood, en de man was een heel stuk kleiner dan de bezorger. Ze stonden samen in het houten huisje – beter gezegd: schuurtje – met achter hen een grote staldeur die openstond, zodat je een stuk wei erachter kon zien. Het was meer veld dan bos, en er lag een flinke laag sneeuw. Een stukje verderop stonden twee ezels, die een beetje om zich heen keken en rondhingen alsof er eigenlijk niks op de wereld was waar ze zich veel van aantrokken.

'Over wie hebben ze het?' fluisterde Emma, en ze bewoog even naar achteren bij het gat waar ze doorheen had staan gluren.

'Over hem,' zei Morris, die wel lang genoeg door zijn gat had gekeken. Emma hield snel weer haar oog voor het gat. Door deze opening zag ze achter de man in het groene pak nog een ezel tevoorschijn stappen.

'Die ezel?'

'Je kunt door dat gat zeker niet heel goed kijken, of wel?'

Emma verschoof een beetje, want hij had gelijk – ze kon vanaf hier lang niet alles zien. Toen ze iets door haar hurken zakte en omhoogkeek, zodat ze dingen kon zien die iets hoger waren, zag ze dat het een ezel was met... een gewei. Dus, eigenlijk, helemaal geen ezel.

'Het is een rendier!' schreeuwde ze. 'Dat moet

wel… Ik bedoel, het is… RUDOL…'

'Nee, dat is hij niet,' zei de bezorger die twee tellen later de deur opendeed. 'En kunnen jullie twee alsjeblíéft weggaan?'

HOOFDSTUK 19

Slimme kleine Sherlock Holmes

Morris keek Emma aan met een blik die heel duidelijk leek te willen zeggen: misschien was het geen héél goed idee om zo hard iets over een rendier te schreeuwen? Maar Emma beantwoordde de blik niet. Ze keek op naar de bezorger en naar de man in het bijpassende groene pak, die naast hem was verschenen, en maakte zich zo groot mogelijk – en dat bleek in werkelijkheid dus ongeveer even groot te zijn als de man in het groene werkpak – en zei toen plompverloren:

'Hij is het WEL. Dit is Rudolf. Hou op met doen alsof. U bent een bezorger. Die altijd rode kleren draagt. En een baard heeft. En u hebt een grote, ronde buik.'

'Dat is ook onbeleefd,' zei de bezorger.

'Maar het is wel zo,' zei Emma. 'En op de manier waarop ik het bedoel, is dat juist iets goeds.'

De bezorger sloeg zijn ogen op naar de hemel. 'En wát bedoel je dan precies?'

'Wacht even, ik heb mijn lijstje met aanwijzingen nog niet helemaal opgenoemd. U woont op deze plek, waar het sneeuwt, wat het nergens anders op de wereld nog schijnt te doen. En u hebt een kleine vriend...'

'Dat is ook onbeleefd,' zei de man in het groene pak.

'Maar: in deze context is dat niet per se iets slechts,' zei Emma. 'Een kleine vriend, was ik dus aan het zeggen, die helemaal in het groen gekleed is. Net als een élf. En belangrijker nog, zo te zien verzorgt u een réndier.' Ze keek voorbij de twee mannen naar

XMX

het veld waar het rendier stond. Zijn kop was redelijk uitdrukkingsloos, maar dat zijn rendierkoppen van nature. 'Waarom zou een doodgewone bezorger voor een rendier zorgen? Vertel me dat eens, Meneer-Ik-Ben-De-Kerstman-Helemaal-Niet-Waarom-Denk-Je-Dat-Scheer-Je-Weg.'

'Tja,' zei de bezorger. 'Dat is allemaal heel interessant. Ik zou wel een of twee anomalieën kunnen aanwijzen in die theorie...'

'Anomallewattes?' vroeg Emma.

'Anomalieën. Een anomalie is iets wat niet past bij wat je zegt,' zei Morris. 'Iets tegenstrijdigs.'

'Vertel me bijvoorbeeld eens...' zei de bezorger, die iets naar de kinderen toe boog. Hij tilde een arm op en wees naar iets achter hem. 'Waar is zijn rode neus dan? Waar?'

'Hij is anders aardig rood,' zei de man in het groen, die zijn neus aanraakte.

'Nee...'

'Ik snuit veel. Het is hier koud. Vanwege alle sneeuw.'

'NEE!' zei de bezorger, terwijl hij wees naar het veld achter de schuur. 'NIET JOUW NEUS! DIE VAN HET RENDIER!'

Ze keken naar het veld. Emma kneep zelfs haar ogen tot spleetjes. Het klopte. De neus van dat rendier was niet rood. Hij was bruin. Met witte vlekjes erop. Zoals je wel vaker ziet bij een rendierenneus.

Emma keek weer naar de bezorger. Hij was opgestaan en had zijn armen over elkaar geslagen. Hij keek haar echt aan met een uitdrukking die zoveel wilde zeggen als: 'Aha!' Die zoveel wilde zeggen als: 'Die kun je in je zak stoppen!' Die zoveel wilde zeggen als: 'Ik heb gewonnen, vergeet vooral de deur niet achter je dicht te doen als je weggaat.'

'Ja,' zei de man in het groene pak, die zich na heel lang staren naar het rendier ook had omgedraaid. 'Maar het is wel Bliksem. Je weet dat het Bliksem is. Die heeft geen rode neus.' Hij draaide zich om naar de kinderen, prikte met zijn duim in de lucht richting de bezorger en fluisterde – zo luid dat iedereen hem kon verstaan – 'Ik maak me er soms echt zorgen over dat hij helemaal niets meer onthoudt tegenwoordig!'

Het bleef lang stil. De bezorger haalde zijn armen uit elkaar. Morris en Emma deden hetzelfde. Nu waren zij aan de beurt om met een 'Aha!' te reageren.

'O, jeetje,' zei Morris. 'Nu heb je je toch echt wel versproken. We hebben jullie betrapt! Wij zijn twee slimme kleine Sherlock Holmesen! U bent overduidelijk... de Kerstman!'

Weer bleef het stil. Uiteindelijk haalde de bezorger zijn schouders op. 'Ho ho ho,' zei de Kerstman.

HOOFDSTUK 20

Bossy Immergroen

'Maar je mag het tegen niemand zeggen!' zei de Kerstman.

'Waarom niet?' vroeg Emma.

'Hij heeft een contract getekend...' zei de kleinere man in het groene pak. 'Met een geheimhoudingsverklaring en zo. O, en trouwens – goed gezien. Ik ben inderdaad een elf.' Hij stak zijn hand naar voren. 'Bossy Immergroen. Aangenaam.'

Morris schudde de elf de hand.

'Een geheimhoudingsverklaring?' herhaalde Emma.

'Ja, een geheimhoudingsverklaring.'

'Wat betekent,' zei de Kerstman met een diepe zucht, 'dat ik mijn handtekening gezet heb onder de belofte dat ik nooit iemand mag vertellen dat ik de Kerstman ben.'

'Hij mag ook geen kerstmanachtige dingen doen,' zei Bossy. 'Hij mag geen lijstjes maken van lieve dan wel stoute kinderen, niet vliegen met een slee vol cadeautjes, niet via een schoorsteen omlaag glijden om eerdergenoemde cadeautjes onder kerstbomen te deponeren en niet het woord "ho" drie keer achter elkaar zeggen.'

'Nee, dát mag ik wel doen, daar heb ik een vrijstelling voor gekregen. Daarom zei ik het ook steeds.'

'O. Oké, ja, sorry, dat staat in de kleine lettertjes.'

'Eh...' zei Morris. 'Ben jij zijn advocaat-elf?'

'Ja. Dat wil zeggen, ik heb er niet voor geleerd,' zei Bossy. 'Maar alles wat ik nodig heb – of beter gezegd: wat híj nodig heeft – heb ik op internet opgezocht. Daar heb ik alle tijd voor nu ik geen cadeaus meer in hoef te pakken.'

'Maar waarom hebt u dat dan ondertekend?' vroeg Emma aan de Kerstman.

'Dat is een goede vraag,' zei de advocaat-elf.

'Ah, hou toch je mond, Immergroen.'

'Hij is een stuk chagrijniger geworden sinds hij is gestopt met werken,' fluisterde Bossy tegen Emma en Morris. 'En hij wás toen al redelijk chagrijnig.'

'Ik kan je gewoon horen, hoor!' zei de Kerstman.

'Als je ons kunt hóren, waarom geef je dan geen antwoord op de vraag?' vroeg Bossy.

De Kerstman zuchtte. 'Het is een lang verhaal.'

'Nee, dat is het niet,' zei Bossy. 'Hij werd in feite gewoon ouder en vermoeider en had minder zin in het werk...'

'Zeg,' zei de Kerstman, nu tegen Morris en Emma, 'probeer jij maar eens cadeautjes te regelen en te sorteren voor álle kinderen van de wereld. En dan die hele wereld over te vliegen om ze te bezorgen. In één nacht! Op mijn leeftijd! Als je ook nog eens de rest van het jaar hebt doorgebracht op de Noordpool, wat trouwens echt geen goede plek is voor mijn reuma.

Waar ik dus last van heb. En niet zo'n beetje ook!'

'Maar goed, Winterzone wist dus dat er iets met hem aan de hand was...' zei Bossy.

'Ja! Geen idee hoe ze dat is gelukt,' zei de Kerstman.

'Heb je heel toevallig iemand geschreven of een bericht gestuurd waarin je vertelde hoe je je voelde?'

'Ehm... dat zou best kunnen. Ik heb mevrouw Claus wel een of twee e-mails gestuurd, ja. En Bliksem ook.' Hij keek de kinderen aan. 'Dat is een heel slim rendier, dat.'

'En zo eenvoudig kan het zijn,' zei Bossy. 'Zo is Winterzone er dus achter gekomen. Ze weten alles wat er op het internet gebeurt.'

'Ik had echt nooit gedacht dat de Kerstman...' begon Emma. Ze draaide zich nu naar hem om. 'Dat ú... dingen op internet deed.'

'Alle elfen hebben hem ook afgeraden om een computer te nemen. Maar dacht je dat hij naar ons luisterde?'

'Oké, oké,' zei de Kerstman. 'Zo is het wel weer

genoeg!' Hij draaide zich met een pruillip om en slofte met zware voeten naar het veld waar Bliksem stond, die alles heel rustig in de gaten leek te houden.

'Nou ja,' ging Bossy verder, die zich niet heel veel leek aan te trekken van het gemopper van de Kerstman, 'nadat Winterzone ontdekte hoe de Kerstman zich voelde, hebben ze... Bryan Bladt en een paar van zijn mensen, dus... de Noordpool een bezoekje gebracht, allemaal gekleed in een dikke, zilverkleurige winterjas, om hem een voorstel te doen. Zij zouden Kerstmis van hem overnemen. En dan kon hij in feite met pensioen. Winterzone beloofde goed voor hem te zorgen...'

'Hebben ze hem betááld?' riep Morris vol afschuw. 'Om afstand te doen van Kerstmis?'

'Nee!' zei Bossy. 'Ze hebben hem een deeltijdbaantje aangeboden om cadeaus te blijven rondbrengen, maar dan op kleinere schaal, zodat hij in elk geval nog een beetje betrokken bleef...'

'ZE HADDEN BELOOFD DAT ZE DE KERSTSFEER

IN ERE ZOUDEN HOUDEN! ZE HEBBEN TEGEN ME GELOGEN!'

Morris en Emma en Bossy keken om. De Kerstman stond tegen Bliksems flank geleund. In zijn hand hield hij een flesje met een bruine vloeistof erin.

'... en net zoveel sherry als hij maar kon drinken,' maakte Bossy de zin bedroefd af.

'Dit is vreselijk,' zei Morris. 'We moeten iets doen!'

Bossy schudde zijn hoofd. 'Zolang Winterzone dat contract heeft, is er niet veel wat we kúnnen doen.'

Morris fronste zijn wenkbrauwen. 'En... wat gebeurt er als de Kerstman zich niet aan dat contract en die geheimhoudingsverklaring houdt?'

Bossy keek hem aan, maar zijn gezicht verloor alle kleur. En aangezien het heel rood was begonnen, was dat een behoorlijk kleurverloop.

HOOFDSTUK 21

Iets wat het internet heet

'En? Wat gebeurt er dan?' vroeg Emma.

'Dat wil ik liever niet zeggen...' zei Bossy fluisterend. 'Zo afschuwelijk is het.'

'O, ZEG HET ZE NOU MAAR GEWOON, IMMERGROEN!' schreeuwde de Kerstman.

'Kun je me horen fluisteren?' vroeg de elf.

'Je fluistert behoorlijk hard!' zei de Kerstman, die naar hen toe kwam. Met een nogal wankel loopje, eerlijk gezegd. 'Je fluistert vrij hard, zoals alle elfen.'

'Vind je echt dat ik het ze moet vertellen?'

De Kerstman zuchtte. 'Waarom ook niet.' Hij sloeg een arm rond Immergroen en nam nog een flinke slok uit zijn flesje met het bruine drankje erin. 'Ik hou van je, Bossy. Weet je dat wel? Echt waar. Je bent mijn beste elf.'

'Oké,' zei Immergroen, die hem zachtjes van zich af duwde. 'Goed... in feite... heeft Winterzone gezegd dat als we ons niet aan het contract houden, ze het gerucht zullen verspreiden dat... dat de Kerstman niet bestaat.'

Morris en Emma fronsten hun wenkbrauwen.

'Maar... dat is toch niet logisch?' zei Emma. 'Hoe kunnen ze zeggen dat de Kerstman niet bestaat...' Ze keek opzij naar de Kerstman, die nu een raar, hupsend dansje opvoerde. 'Als de Kerstman zelf zegt: "Hier ben ik dan, de enige echte Kerstman!"'

Bossy keek haar aan. 'Volgens mij heb jij nog nooit van het internet gehoord. Waar Winterzone zo'n beetje de eigenaar van is.'

Emma keek hem aan. 'Heb je me afgeluisterd tijdens mijn gesprekken met mijn vader?'

'Pardon? Zei je daar elfgeluisterd? Dat is niet grappig...'

'Dat zei ik niet,' zei Emma.

'Maar goed. Het punt is dus... dat je tegenwoordig op het internet elk gerucht kunt verspreiden dat je maar wilt. Elke leugen die je maar wilt. En als je genoeg macht hebt, en een groot bereik, dan zullen heel, héél veel mensen dat gerucht geloven. Ze zullen de leugen voor waar aannemen. En niemand heeft meer macht en bereik op het internet dan Winterzone. Dus als zij besluiten te zeggen dat de Kerstman niet bestaat, dan zullen de mensen dat geloven.' Bossy sloot zijn ogen. Hij fluisterde – en deed deze keer ook echt zijn best om het volume van zijn stem te laten dalen: 'Ik bedoel... helaas zíjn er nu al mensen... en kinderen... die niet in hem geloven.'

'Maar... wat doen ze dan met al die Santavatars!' riep Morris uit. 'Die zijn allemaal gebaseerd op de Kerstman!'

'Daar verzinnen ze wel wat anders voor. Dat kunnen ze wel.'

Morris zuchtte. Emma keek bedroefd. Maar toen zei ze: 'Dan moet hij er gewoon op uit om te bewijzen dat hij het echt is!'

Bossy trok een gezicht. Ze keken allemaal naar de Kerstman, die op dat moment op de grond lag en gorgelde. Het gorgelen ging zo ongeveer op de melodie van *It's the Most Wonderful Time of the Year*. Maar dat was niet helemaal duidelijk.

Emma keek weer naar Bossy. Die haalde zijn schouders op. Emma's gezichtsuitdrukking veranderde naar iets anders dan bedroefd. Die droefheid, wist ze, zou haar niet helpen. Ze schudde haar hoofd.

'We kunnen dit niet zomaar laten gebeuren! Weet je waar ze het bewaren? Dat contract?'

'Tja... ik weet wel waar die griezelige Winterzonedame...' begon Bossy.

'Raisa?' vroeg Emma. 'De assistente van Bryan Bladt? Die klinkt als een spion wanneer ze praat?'

'Ja, zij,' zei Bossy. 'Ik weet waar ze het heeft gelaten. In haar handtas. De tas die ze altijd bij zich heeft. Het zou heel goed kunnen dat het daar nu nog in zit.'

Emma glimlachte. Ze wreef in haar handen, maar niet omdat ze koud waren. 'Ik heb een idee.'

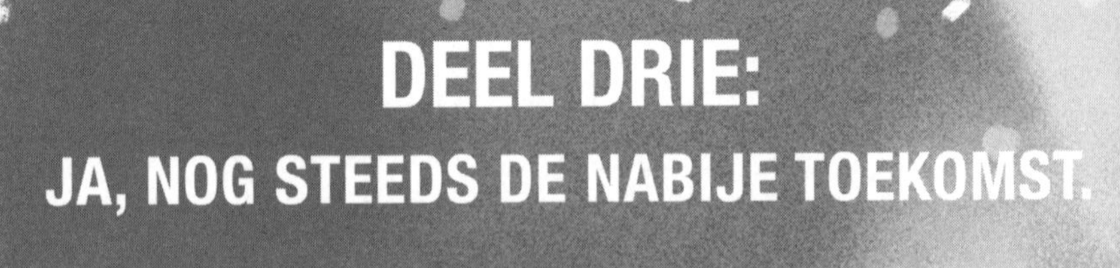

DEEL DRIE:

JA, NOG STEEDS DE NABIJE TOEKOMST.

IK VERKLAP ALVAST: ALLES ZAL ZICH AFSPELEN IN DE NABIJE TOEKOMST

HOOFDSTUK 22

CWX25 Versie 2.0

‘Ik ben zo blij dat je bent gekomen, Emma,’ zei Gary. ‘Ik wist echt niet zeker of je dat wel zou doen.’

‘Ach ja, pap,’ zei Emma met een glimlach. ‘Ik ben van gedachten veranderd.’

Emma en haar vader waren nu bij Winterzone. Bonnie en Jonas waren ook mee. En Morris, die Emma had mogen meenemen. Het was nu kerstavond. Of, zoals Winterzone het tegenwoordig noemde: Het Perfecte Kerstcadeau Alsjeblieft.

'Je ziet er schitterend uit,' zei Gary. Emma zag er inderdaad een stuk netter uit dan gebruikelijk. Zo droeg ze normaal gesproken nooit een jurk. Haar haar zat nooit erg netjes. Maar nu was het helemaal doorgekamd en had ze een glimmende zilverkleurige jurk aan en een bijpassende diadeem in haar haar.

'Welja,' zei Bonnie, 'ik mocht haar voor de verandering zowaar eens een beetje oppoetsen. Al begrijp ik nog steeds niet waarom je zo nodig je schooltas mee moest nemen, Emma.'

Emma keek omlaag. Haar rugzak hing over haar rechterschouder.

'Sorry. Ik wilde hem gewoon graag bij me hebben. Voor... noodgevallen!'

'Oké,' zei Bonnie. 'Ach, je ziet er nog steeds fantastisch uit. Het gebeurt tenslotte niet elke dag dat jouw dochter wordt uitgekozen als meisje voor Het Perfecte Cadeau Alsjeblieft!'

'Nee!' zei Gary. 'Ik vind het heel spannend. En jij, Em?'

'Ja, paps!' zei Emma.

Gary fronste zijn wenkbrauwen. Emma noemde hem nooit 'paps'. Misschien was dat een van de dingen waarover ze van gedachten was veranderd. Een paar dagen geleden was ze naar hem toe gekomen om te zeggen dat ze erover had nagedacht, en dat ze natúúrlijk heel graag het kind van Het Perfecte

Cadeau Alsjeblieft wilde zijn, als dat nog steeds mocht. Vanzelfsprékend wilde ze dat, had ze gezegd. Welk kind wilde dat nou niet?

Hij zette het paps-gedoe uit zijn hoofd, want hij wilde haar – en de rest van het gezin – dolgraag iets heel speciaals laten zien voordat de ceremonie rondom Het Perfecte Cadeau Alsjeblieft van start zou gaan. Ze waren beneden, in de kelder onder de begane grond van Winterzone. Ze stonden vlak naast een deur met daarop de naam TINGELTECH 1. Dit was Gary's afdeling. Hij was een van de weinige mensen bij Winterzone die zowaar nog echte dingen ontwierp en maakte.

'Luister, allemaal,' zei Gary. 'We hebben tien minuten voordat alles begint, dus ik wilde jullie even heel snel de Superslee laten zien...'

'Mag dat wel?' vroeg Bonnie.

'Van mij mag het!' zei Gary. 'Ik denk dat als ik mijn gezin het project wil laten zien waar ik nu al... drie jaar mee bezig ben... dat dat moet kunnen. Wie wil me tegenhouden, dan?'

'Ik vrees dat ik dat wil, Gary,' zei een stem. Het was een gladde, zelfverzekerde, maar toch ook ietwat blikkerige stem.

Ze keken allemaal om. Voor de deur van TingelTech 1 stond een robot die eruitzag als een mens, met een kersttrui aan.

'CWX25?' vroeg Gary.

'Sterker nog, ik ben CWX25 Versie 2.0, als je het weten wilt. Ik heb een upgrade gekregen,' zei de robot. 'Ik ben geprogrammeerd om ervoor te zorgen dat men binnen TingelTech 1 de regels ten strengste naleeft, waaronder de regel dat mensen die niet werkzaam zijn bij Winterzone geen prototypes mogen zien die jij al dan niet aan het ontwerpen bent hier. Hiertoe ben ik geprogrammeerd, Gary. Om ervoor te zorgen dat jij je aan die regel houdt.'

Emma, Bonnie, Jonas en Morris keken weer om, nu van CWX25 Versie 2.0 naar Gary. Gary keek hen aan, glimlachte zwakjes en keek weer naar de robot.

'Hé... CWX25... toe nou! Doe niet zo mal. Ik weet dat we het niet altijd eens zijn... maar ik wil mijn gezin heel graag de Superslee laten zien.' Het bleef stil. Er klonk wel een snel gezoem toen de robot zijn hoofd iets heen en weer draaide.

'Leg je alsjeblieft neer bij de regel, Gary,' zei hij met die gladde, zelfverzekerde blikkerige stem.

Gary fronste zijn wenkbrauwen. Hij voelde de ogen van zijn gezin op hem gericht. Hij hoefde toch niet serieus te luisteren naar iets wat een machine hem opdroeg?

'CWX25,' begon hij.

'Versie 2.0,' zei de robot.

'Mij best,' zei Gary. 'Verlaat alsjeblieft de omgeving van TingelTech 1.'

'Dat kan ik niet doen, Gary.'

'Oké,' zei Gary, die om de robot heen begon te lopen. Het hoofd van de robot zoemde en zijn ogen flitsten. Zijn hand schoot naar voren om Gary bij zijn schouder te pakken. Hij tilde Gary op zodat zijn voeten net iets boven de grond bungelden.

'Zet me neer! CWX25! Versie 2.0! Zet me neer!'

'Je weet dat ik dat niet kan doen, Gary.'

Er zoemde wat aan de binnenkant van het robothoofd. 'O, wacht even...' zei hij. 'Ik heb de data opnieuw verwerkt en het blijkt nu dat ik dat dus toch kan doen. Mijn verontschuldigingen.' En CWX25 zette Gary weer neer. Of eigenlijk gooide hij hem neer, in een hoopje op de vloer.

'Au!' zei Gary. 'Mijn hoofd doet heel erg pijn. En mijn rug ook! Ik weet niet of ik nog kan opstaan zo!'

Met een luid gezoem draaide CWX25 zijn hoofd omlaag en hij glimlachte. 'Wie heeft er nu een storing?'

HOOFDSTUK 23

Geen White Christmas maar een Bryte Christmas

'Goed...' zei Bry, die sprak in een speciale microfoon die (dankzij zo'n oorbeugel) vlak naast zijn mond hing en een dreunend geluid produceerde. 'Welkom allemaal... Winterzoners, Winterzone-families, en iedereen die nu live meekijkt via Winterzone-Punt-Com en het Winterzone-kanaal!'

Zijn woorden werden ontvangen met een groot applaus dat het geluid van één persoon – namelijk Morris – overstemde terwijl hij sarcastisch vroeg: 'Zou je denken dat hij de naam "Winterzone" nu wel vaak genoeg heeft gebruikt?'

Bry keek de Sneeuwzaal rond met zijn vriendelijkste, glimlacherigste uitdrukking aller tijden, alsof hij al een maand lang had geoefend op vriendelijke glimlachjes. De Sneeuwzaal was altijd erg kerstmissig, maar vanavond was superkerstachtig gemaakt – of in elk geval wel super-Winterzone-kerstachtig gemaakt. Het logo van Winterzone was overal terug te vinden, en dankzij een aantal zeer slimme computertechnieken leek het binnen in de Sneeuwzaal echt te sneeuwen. Overal rondom deze ruimte stonden honderden Santavatars te zwaaien, als een gigantische tentoonstelling van holografische kerstmanvlaggen.

Bry stond boven op een podium dat aan een kant van de Sneeuwzaal was gebouwd. Voor hem stond een enorm publiek. Er waren heel veel camera's – zowel voor de televisie als mensen die met hun telefoon filmden – op het podium gericht. Aan een kant van het podium stond een gospelkoor dat helemaal in het wit gekleed was. Zij hadden net *I'm Dreaming of a Bryte Christmas* gezongen.

Morris stond in dat publiek met Bonnie en Jonas. Een stukje verderop stond Gary, die door CWX25 was losgelaten zodat hij op de grond was gevallen. Hij had zich van de vloer geduwd, zijn kleren afgeklopt en was net tegen de robot aan het zeggen: 'Nou moet jij eens goed luisteren...' toen Raisa in de kelder was verschenen. Ze had gezegd dat het nu tijd was dat Emma werd voorbereid op Het Perfecte Cadeau Alsjeblieft en haar meegesleurd. Nu staarde Gary maar wat voor zich uit, alsof hij probeerde te doen alsof dit allemaal nooit was gebeurd.

Emma was ondertussen backstage, want zij was de ster van de show. Al leek het nogal lang te duren voor ze bij dat onderdeel aankwamen.

'Het iiiiiiiiis.... kerstavond!' zei Bry, en weer werd er enorm hard gejuicht. 'En dat maakte het nu... zeker weten... tot... de mooiste tijd van het jaar!'

'TM,' zei Raisa, die rechts van hem stond.

'Maar vanavond is denk ik wel een goed moment... lijkt mij... om aan te kondigen... dat Winterzone bezig is met de ontwikkeling van een nieuw idee, en dat is: de mooiste tijd van het jaar – meerdere keren per jaar!'

Daar werd een stuk minder hard voor gejuicht. Het begon met een juich, maar werd bijna meteen gevolgd door allerlei stemmen die vroegen: 'Huh?' en 'Wat?' en 'Hoe werkt dat dan?'

'Ja!' ging Bry verder. 'Want waarom zouden we die mooiste tijd maar één keer in het jaar beleven? Dus wil ik graag van dit moment gebruikmaken om aan te kondigen dat Kerstmis – Winterzones Kerstmis, welteverstaan – vanaf volgend jaar DRIE keer per jaar zal plaatsvinden!'

Opeens klonken de tonen van een piano en een stel belletjes als van een arrenslee. Het gospelkoor zong:

'Het is Kerstmis, o jazeker!
Een keer in het jaar, wat fijn.
Stel dat het nog twee keer gebeurt,
zou dat dan niet veel beter zijn?'

Het was maar een kort liedje, eigenlijk meer een jingle. En daarna volgde een korte stilte.

'Wanneer dan?' riep een stem uit het publiek. Dat was Morris weer.

Bry keek naar Raisa, die haar schouders ophaalde. 'Eh... het punt is...' zei Bry, 'dat we die details nog niet helemaal hebben uitgewerkt. Maar... in mei, misschien? En dan... wellicht... in oktober?'

'Dat is veel te dicht op de eerste Kerstmis!' riep iemand anders.

'Oké, dan wordt het september! Maak je niet druk om die kleine dingen!' zei Bry.

'Maar het hele idee van Kerstmis is juist dat het zo speciaal is!' riep een andere stem uit het publiek. 'Het is helemaal niet meer speciaal als het drie keer per jaar plaatsvindt!'

'Oké,' zei Bry. 'Dat begrijp ik. Dank je wel. Alle suggesties worden gewaardeerd. Stuur ze per tekstbericht of mail naar de Winterzone-ideeënbus.'

'Waarop ze meteen ónze ideeën worden,' zei Raisa.

'Hmm,' zei Bry. 'Maar het punt is: drie keer per jaar betekent wel DRIE KEER ZOVEEL CADEAUS!'

'Het is Kerstmis, o jazeker!'

zong het gospelkoor, dat hem plots in de rede viel.

'Allemaal cadeaus voor jou en mij.
Stel dat het nog twee keer gebeurt,
dan komen er heel veel cadeautjes bij!'

Het liedje eindigde, en nu werd er wel weer hard gejuicht. Zo hard zelfs dat niemand het hoorde toen Gary zachtjes zei: 'En drie keer zoveel geld voor Winterzone, uiteraard.'

'Dank jullie wel!' zei Bry tegen het publiek. 'Ik wíst wel dat jullie het leuk zouden vinden! En nu we het toch over cadeautjes hebben... laten we maar snel doorgaan met ons evenement! Het belangrijke moment! Het hoogtepunt der hoogtepunten! En dan bedoel ik: ja! Het is nu tijd voor... Het Perfecte

Cadeau Alsjeblieft! En, om dat nog een keer te zeggen, vraag ik jullie allemaal om een hartelijk applaus voor het PCA-meisje van dit jaar: EMMA!'

Het gospelkoor zong:

Het is Kerstmis, o jazeker!
Want het sneeuwt buiten en het vriest.
Maar hier binnen is het fijn en warm.
Tijd voor 't Perfecte Cadeau Alsjeblieft!!

Iedereen applaudisseerde. Alle Baxters. En Morris juichte. Jonas riep heel luid: 'Emma is mijn zus!' En toen liep Emma, begeleid door Raisa, het podium op.

HOOFDSTUK 24

Het Perfecte Cadeau Alsjeblieft

Emma zag er een beetje nerveus uit toen ze het podium betrad. Dat kwam doordat ze ook een beetje nerveus wás. Deels doordat ze het niet gewend was om een heel publiek voor zich te hebben, maar ook doordat ze niet zo goed wist hoe dit allemaal zou uitpakken. Toch zwaaide ze naar de toeschouwers en ze glimlachte. Ook zij had een microfoon over haar oor heen naar voren. Camera's klikten en zoemden. Het applaus stierf weg. Raisa gaf Emma een duwtje naar voren, zodat ze naast Bry kwam te staan.

'Emma!' zei hij. 'Wat leuk om je te ontmoeten!'

'Het is heel leuk om u te ontmoeten...'

'Bry!' zei Bry. 'Noem me maar Bry!'

'Is dat een afkorting voor iets?'

'Dat doet er niet toe.' Hij draaide zich weer naar het publiek. 'Ik wil jullie allemaal eens iets vertellen over Emma. Ik hoop dat je dat goedvindt, Em.'

'Ja, dat is prima, Bry.'

Gary fronste zijn wenkbrauwen. 'Dat is wel een beetje raar,' fluisterde hij tegen Bonnie. 'Normaal gesproken zijn jij en ik de enigen die dat tegen haar mogen zeggen.'

'Dus... één van de dingen over Em,' ging Bry verder, 'is dat ze... Nou ja, ze was eigenlijk helemaal niet zo'n fan van Kerstmis. Vroeger. Ze was een beetje... Kan ik dit wel zeggen? Een kersthater! Een echte Scrooge!'

Emma glimlachte. Gary en Bonnie keken elkaar aan.

'Dat is niet eerlijk,' fluisterde Bonnie. 'Ze houdt van Kerstmis... alleen niet...'

'Van de Winterzone-versie!' fluisterde Gary terug. 'Dat weet ik. Natuurlijk weet ik dat. Ze heeft het vaak genoeg gezegd.'

'Waarom zegt ze nu dan niets? Dit is echt helemaal niets voor Emma!'

'Sst!'

Ze keken opzij. Het was Morris. Hij was degene die 'Sst!' had gefluisterd. 'Het is oké. Laat haar gewoon... Ze weet wat ze doet.' Hij keek weer naar het podium. 'Denk ik.'

'Jij had echt een hekel aan Kerstmis, of niet soms, Emma?' zei Bry.

'Mja...' zei Emma, nog steeds glimlachend.

'Maar nu...' zei Bry, die niet wachtte op een gedetailleerder antwoord, 'ben je van gedachten veranderd! Je bent zelfs zo erg van gedachten veranderd dat jij... het gezicht bent geworden... van Het Perfecte Cadeau Alsjeblieft!'

'Het is Kerstmis, o jazeker!'

zong het gospelkoor.

'Ze vond het altijd vreselijk!
Maar nu krijgt ze 't Perfecte Cadeau
en voelt ze zich weer feestelijk!'

'Zo klinkt ze eigenlijk een beetje... oppervlakkig,' fluisterde Gary.

'Dat komt wel goed!' fluisterde Morris.

'Weet je het zeker?' fluisterde Bonnie.

'Nee,' fluisterde Morris.

'Dus!' zei Bry. 'Dan is het nu... tijd! Emma. Em. Vertel ons eens wat jij graag als Perfecte Cadeau zou willen hebben?'

Emma knikte. Ze draaide zich om naar het publiek. Ze glimlachte.

'Ahum...' zei ze.

De menigte keek haar aan.

'Ik wil... van Winterzone... als Perfecte Cadeau... Alsjeblieft...'

Emma wachtte even. Ze keek om naar Raisa. Emma tilde haar hand op en wees.

'... die oranje tas daar.'

HOOFDSTUK 25

Het staat in het contract

'Pardon?' vroeg Bry.

'Die oranje tas. De tas die die mevrouw vasthoudt.' Ze wees er nog nauwkeuriger naar. Raisa keek haar vernietigend aan. De vingers van de hand die altijd op de tas rustte, klemden zich nu om de sluiting heen en drukten de tas nog steviger tegen haar aan. 'Die met die groene klemsluiting,' zei Emma.

Bry keek naar Raisa. Zachtjes – ook al kon iedereen hem nog steeds horen – zei hij: 'Ik dacht... dat je zei... dat zij zou zeggen...'

'Een glinsterende halsband'

zong het gospelkoor,

'Voor een kleine kat.
Dat is haar Perfecte Cadeau Alsjeblieft
en...'

'JA, DAT!' zei Bry, die het gospelkoor daarmee onderbrak, en de zangers keken hem verbijsterd aan. 'Dát is dus waar we ons op hadden voorbereid! Dat ligt ingepakt en wel op je te wachten!'

'Dat is wat jij tegen mij zei!' zei Raisa, en ze staarde Emma aan.

'Ja, maar ik heb me bedacht. Ik wil nu graag die tas.'

'En je katje dan?' vroeg Bry. 'Wie-wie?'

'Wieps,' verbeterde Emma hem. 'Die heeft toch een hekel aan halsbanden.'

'Ja, dat klopt,' zei Bonnie in het publiek. 'Hij blijft net zo lang *wieps wieps wieps* krijsen tot we de halsband weer afdoen!'

Bry keek naar Raisa en weer terug naar Emma. 'Oké. Oké. We kunnen dit. We zullen een kopie van die tas voor je maken. Geen punt. Geen enkel probleem. Ik zal ons supersnelle bezorgteam meteen aan het werk zetten...'

'Nee,' zei Emma. 'Ik wil geen kopie van die tas. Ik wil DIE tas. De tas die zij vasthoudt.'

Er viel een korte stilte. Raisa staarde haar aan. 'Ah. Dat is niet mogelijk,' zei ze. 'Dit is mijn tas. En ik heb hem altijd aan mijn zijde.'

'En toch...' zei Emma, 'vrees ik dat ik die tas wil hebben. En volgens mij staat er in het contract dat ik heb getekend voor het Perfecte Cadeau Alsjeblieft... Is mijn raadsman toevallig aanwezig?'

Een figuur in een groen werkpak kwam uit de menigte naar voren en klauterde op het podium. Hij zwaaide met een vel papier.

'Hallo!' zei hij. 'Ik heb het kopietje hier in mijn hand!'

'Dank u, meneer Immergroen,' zei Emma.

'Die vent...' fluisterde Bry tegen Raisa, '... kennen

we die ergens van? Ik heb het idee dat we hem ergens van kennen.'

'Ja,' zei Raisa met opeengeklemde kaken.

'Goed,' zei Bossy, die het papier inmiddels voor zich hield. 'Hier staat heel duidelijk in het contract dat getekend is door Emma Baxter, hierna te noemen: Emma Baxter, en Winterzone, hierna te noemen: Winterzone... ik weet nooit zo goed waarom dit soort documenten dat altijd zo moeten vermelden... Maar goed, hier staat dus dat... ahum...' Uit het borstzakje van zijn werkpak pakte hij een bril die er heel oud uitzag en die zette hij op zijn lange neus. 'Hier staat dus: Emma Baxter, hierna te noemen bla bla, zal op de eerdergenoemde datum, namelijk op vierentwintig december, vragen om haar Perfecte Cadeau Alsjeblieft...'

'TM,' vulde Raisa aan.

'Dat ging ik heus nog wel zeggen,' zei Bossy, die opkeek. 'Want dat staat in het contract.' Hij keek weer omlaag en duwde zijn bril een klein stukje omhoog op zijn neus. 'En... dat haar Perfecte Cadeau... en nu komt het punt waar het om gaat...'

'Staat dat ook in het contract?' vroeg Emma.

'Nee, dat zeg ik.'

'O. Oké.'

'Dat haar Perfecte Cadeau... wat dat ook mag zijn... niettegenstaande de wijze en manier waarop de eerdergenoemde Emma Baxter ervoor kiest dit al dan niet verbaal of non-verbaal te beschrijven... haar onmiddellijk overhandigd zal worden.'

Hij keek op. 'Er zijn ook nog wat kleine lettertjes, maar die beslaan vierenzeventig pagina's en ik denk dat het wereldwijde publiek zich mogelijk gaat vervelen als ik die allemaal ook nog ga voorlezen.'

Bry keek naar Bossy. Hij keek naar Emma. Hij keek naar het publiek, dat aandachtig afwachtte. Hij keek in een van de vele camera's. En toen, uiteindelijk, keek hij naar Raisa en zei: 'Geef hem gewoon aan haar.'

'Wat?' zei Raisa.

'Je hoorde me best.'

Raisa liep dichter naar hem toe. 'Dat kunnen we echt niet doen.'

'Ja. Dat kunnen we wel. Doe het nu maar gewoon. We... regelen dit wel.'

Raisa liet de tas van haar schouder glijden. Ze hield hem vlak voor zich omhoog. Haar gezicht, dat van nature al vrij streng was, werd nog strenger.

'Ik ben echt niet van plan om deze tas zomaar uit handen te...'

'Dank je wel!' zei Emma, die met een sprong de tas uit haar handen griste en het podium af rende.

'*Het Perfecte Cadeau, Alsjeblieft!*
Zie haar stralen, wat een blijheid!
En dat allemaal dankzij Winterzone:
een Perfecte Cadeautjestijd!'

zong het gospelkoor.

'YES! HAHA!' zei Bry veel te luid. 'EN DAARMEE ZIT HET PERFECTE CADEAU ALSJEBLIEFT VOOR DIT JAAR ER WEER OP! IK WENS IEDEREEN EEN FIJNE AVOND EN NATUURLIJK EEN HEEL FIJNE KERST!'

Raisa pakte haar afstandsbediening en schakelde daarmee alle camera's uit die op het podium waren gericht. Het publiek in de Sneeuwzaal applaudisseerde, maar leek een beetje in de war.

Bry trok zijn microfoon van zijn oor en zei, eigenlijk zomaar in het wilde weg, of misschien gewoon tegen iedereen, of in elk geval tegen iedereen van Winterzone:

'GRIJP HAAR!'

HOOFDSTUK 26

'Waar moeten we naartoe?' riep Emma, die een gang ergens in het Winterzone-gebouw in rende met Raisa's oranje tas over haar schouder.

'Geen idee!' zei Morris, die naast haar meeholde. 'Dit onderdeel van het plan hadden we nog niet verder uitgewerkt!'

'Hoe kunnen we dat nou zijn vergeten?'

'We zijn kinderen!'

'Ja, je hebt gelijk! Hé Bossy! Waarom heb jíj er niet aan gedacht?'

Bossy, die achter haar aan rende en al heel erg buiten adem was, hijgde: 'Ik ben ook min of meer een soort kind. Ik ben een elf! Wij zijn... zeg maar... de kinderen van de Kerstman.'

'Ah,' zei Emma, die er weinig zin in had om dat gesprek op dit moment voort te zetten. 'En wat gaan we nu dan doen?'

'O! Daar zie ik een bordje met het woord "uitgang" erop!' zei Morris.

'Mooi zo!' zei Emma, die er al naartoe sprintte.

'Ik maak me wel een beetje zorgen,' zei Morris, die met haar mee sprintte.

'Hoezo?' vroeg Emma, die er echt vandoor racete. Ze zag de deuren van de uitgang al voor zich – groot en van glas – met een gigantisch plein erachter. Nog een paar meter te gaan!

'Dit is een gebouw dat vol staat met camera's en computers en dan laten ze ons zomaar gaan, zelfs terwijl Bry net nog riep van "Grijp haar!" en zo?'

'O, dat,' zei Emma. 'Misschien... ik weet het niet... misschien hebben we wel geluk!'

'Misschien wel!' zei Morris.

Ze hadden de deuren bereikt! Misschien had ze gelijk, misschien hadden ze ECHT geluk!

Emma stak haar hand uit naar de deurklink van de grootste deur...

En net op dat moment zakte er een groot stalen rolluik vlak voor haar neer. ZZZOEFFF! DOING! KLOENK! En toen gebeurde hetzelfde bij alle andere deuren – ZZZOEFFF! DOING! KLOENK!

Hijgend bleven ze staan.

'En misschien ook niet...' zei een sinistere, vriendelijke, glimlachende stem vlak achter hen.

HOOFDSTUK 27 Het Winterzone-raam

Emma, Morris en Bossy draaiden zich om. Tegenover hen stonden Bry, Raisa, Hamnet, Hamnet en Fester.

'Ik vrees dat er nu geen enkele manier meer is om dit gebouw te verlaten,' zei Bry. 'Alle luiken zitten potdicht. Je hebt alleen dat raam daarboven nog...'

Hij wees omhoog. Heel hoog boven hen, vele verdiepingen en kantoren boven hen, zagen ze het: het grote Winterzone-raam met de sneeuwvlokken en de slee en de Santavatars die rondom het woord

WINTERZONE™ heen dansten. Emma had het nog nooit vanbinnen gezien, met de letters de verkeerde kant op. Het wierp een rood en groen licht op het plafond.

'We kunnen dat raam natuurlijk niet afsluiten met een luik, want we willen dat de mensen ons logo áltijd kunnen zien. Maar hé, ik denk niet dat iemand van jullie zo hoog komt om het kapot te maken. Nee, toch?'

'Misschien niet,' zei Emma. 'Maar het punt is, Bry... Ik heb gevraagd om mijn Perfecte Cadeau. Deze tas. Die heb ik gekregen. Wat is dan het probleem?'

'Ja,' zei Bry, 'dat is een goed punt. En het punt is... Dit is dus het punt... Wij willen die tas terug. Zo zit het nu eenmaal, Emma.'

'ZO ZIT HET NU EENMAAL, EMMA!' krijste Hamnet. Gek genoeg niet eens de kaketoe, deze keer.

'Maar jullie willen vast niet dat de hele wereld te horen krijgt dat Winterzone zijn beloftes niet nakomt?' zei Morris moedig.

'Hé!' zei Bry. 'Dat is best moedig.'

'Weet ik,' zei Morris.

'Maar sorry. Ik geloof dat ik jouw onlineprofiel heb bekeken, @MorrisC2010. En we hadden er helemaal niet zo lang voor nodig om jouw totale aantal volgers van alle diensten bij elkaar op te tellen. Het waren er...'

'Zeven,' zei Raisa.

'Zeven. Precies. Dus, @MorrisC2010, schrijf jij maar een lekker *l-a-a-a-a-a-a-ang* verhaal met daarin alles wat je maar wilt over wat er hier is gebeurd vanavond en wat een vreselijk bedrijf – wat een afgrijselijk niet-netjes bedrijf – Winterzone eigenlijk is, en dan zullen wij eens zien of we *gecanceld* worden of niet, goed?'

Morris fronste zijn wenkbrauwen en keek verslagen naar de grond. Opeens deed Fester een stap naar voren uit het groepje. Ze opende een klein flesje waarop **OpPepper** stond, nam een flinke slok en liet een luid 'AHHH!' horen.

'Luister, Emma,' zei Fester toen. 'Jij bent een meisje. Ik ben een meisje.'

'Zal best,' zei Emma. 'Maar hoe oud bén je dan?'

'Dat doet er niet toe. Wat ik wil zeggen is dit: wij meiden, wij begrijpen dat een meisje heel erg... bezitterig kan zijn als het om haar handtas gaat. Ja, toch? En Raisa... die wil gewoon haar tas terug.' Fester glimlachte en trok haar neus op, en Emma begreep meteen dat ze probeerde om schattig te doen. Alleen zag haar gezicht er zo juist heel raar uit. 'Want zij ís gewoon zo'n meisje!'

Emma keek naar Raisa. Die staarde haar uitdrukkingsloos aan. En stak uitdrukkingsloos haar hand naar voren.

'Ik dacht het niet,' zei Emma hoofdschuddend. 'Ik geloof dat je deze tas zo graag terug wilt omdat er iets in zit wat HEEL BELANGRIJK is.'

'Tja,' zei Bry, 'als je dat denkt... Doe de tas dan maar open.'

'Pardon?'

'Doe de tas open, Emma. No problemo! Ga je gang! Als dat je ding is, doe dan vooral je ding! You go, girl!'

Emma keek omlaag. Ze had de tas zonder het te merken stevig tegen zich aan gedrukt. Voorzichtig duwde ze hem een centimeter van zich af en legde haar vingers op de groene klemsluiting aan de bovenkant. Maar die kwam niet in beweging.

Ze keek op. Raisa hield haar kleine afstandsbediening in haar hand.

'Hij zit op slot,' zei ze simpelweg.

'Kun je een tas op slot doen met een afstandsbediening?' vroeg Morris.

'Reken maar van yes, Morris,' zei Bry. 'Technogenie, weet je nog?'

'Ja. Maar ik vind het nog steeds geen heel goede woordspeling.'

'Boeit niet. Het punt is: jullie hebben verloren.'

'Ik dacht dat er geen winnaars en verliezers waren bij Winterzone?' vroeg Emma.

'Haha, ja, goeie,' zei Bry. 'En toch hebben jullie zeker weten verloren. Geef hier die tas.'

Emma keek naar Morris en Bossy Immergroen. Als zij de tas niet kon openen, had het weinig nut om hem te houden. En toch was er iets waardoor ze zei: 'Nee, sorry. Dit is mijn Perfecte Cadeau Alsjeblieft.'

Bry knikte. 'Oké. Dat snap ik. Ik hoor je.' Hij bleef knikken. 'Maar ik denk toch dat wij daar een beetje een andere voorstelling bij hebben dan jij. CWX25?'

'Versie 2.0,' zei een gladde stem. De robot dook achter hem op.

'Pak die tas,' zei Bry.

HOOFDSTUK 28

No problemo

'No problemo,' zei CWX25.

'Hou op dat te zeggen,' zei Bry.

'No problemo,' zei CWX25.

'Nu zeg je het weer.'

'Ja,' zei de robot. 'Ik bedoelde dat het geen probleem was om op te houden met "no problemo" zeggen. Helaas zit ik nu vast in een lus van "no problemo" zeggen.'

'SCHIET OP EN PAK DIE TAS, CWX25 VERSIE 2.0.'

'No problemo,' zei de robot. Bry beet op zijn lip

om niet weer tegen de robot te zeggen dat hij dat niet moest zeggen. CWX25 Versie 2.0 draaide zijn hoofd om in Emma's richting. Hij liep al op haar af.

'Geef mij de tas, Emma,' zei hij.

'Nee!'

'Geef mij de tas, Emma.'

'Dat kan ik niet doen, CWX25 Versie 2.0.'

'Ja, dat kun je wel,' zei de robot, en hij stak een hand uit. Hij was nu al heel dichtbij. Emma hoorde iets in zijn lichaam zoemen. Ze probeerde weg te draaien, maar de hand van de robot schoot opeens met een onvoorstelbare snelheid naar de tas toe. Ze voelde de kracht van de vingers die nu aan de tas trokken. Emma kneep haar ogen dicht en hield de tas zo stevig vast als ze maar kon, ook al wist ze dat ze dit niet lang zou volhouden.

Opeens klonk er een heel hard ruisend geluid, gevolgd door een luide klap, en voelde ze de druk van de robotvingers op de tas afnemen. Ze opende haar ogen.

'EMMA! BOSSY! MORRIS! SNEL! STAP IN!'

Emma knipperde met haar ogen. Het was lastig om te beseffen wat er nu gebeurde. Het was haar vader die zo hard riep. Maar het was haar niet meteen duidelijk wáár hij precies was.

Het was haar ook niet duidelijk waarom CWX25 Versie 2.0 ineens op de grond lag met een deuk in zijn hoofd. Of waarom Bry, Hamnet, Fester en Raisa allemaal ineengedoken stonden en angstig rondkeken. Of waarom Hamnet de kaketoe panisch rondvloog en krijste: 'HAMNET? HAMNET? IS DAT EEN GROTE ROOFVOGEL? GAAT DIE ME OPETEN?'

Toen keek ze omhoog en zag ze dat haar vader – met achter hem haar moeder en Jonas – ongeveer een meter boven haar zweefde in wat zo te zien een superstrak, futuristisch rood-wit ruimteschip was.

'Wat is DAT?' riep ze uit.

'Dit is uiteraard de Superslee!' riep haar vader, die de slee omlaag stuurde tot vlak voor hen. 'STAP NU MAAR SNEL IN!'

HOOFDSTUK 29

De Superslee

Ze stak haar armen naar voren en haar vader trok haar de slee in, zodat ze naast hem kwam te zitten. Ondertussen klommen Morris en Bossy Immergroen zelf achter in de slee om bij Bonnie en Jonas te gaan zitten.

'OMG, pap!' zei Emma, die keek naar de hoeveelheid schakelaars en lichtjes vlak voor haar. Haar vader hield het stuur vast. 'Dit ding is geweldig!'

'Dank je!' zei Gary trots. Hij trok het stuur naar zich toe en de slee steeg weer een paar meter omhoog.

'Het is me alleen maar gelukt hem in de lucht te krijgen omdat ze die robot hebben weggeroepen om met jullie af te rekenen. O, wat voelde het goed om hem omver te sleeën!'

'Eh... meneer Baxter,' zei Morris. 'Ik denk dat CWX25 en de anderen nog niet helemaal verslagen zijn...'

Emma en Gary keken omlaag. Bry en de andere Winterzoners waren weer overeind gekrabbeld en staarden nu – met enige mate van verwondering – naar de Superslee. Maar CWX25 Versie 2.0 steeg ondanks die deuk in zijn hoofd op en vloog op hen af.

'Wauw!' zei Emma. 'Ik wist niet dat hij jetpackvoeten had!'

'Ik ook niet!' zei Gary.

'O, ja!' riep Hamnet, de niet-kaketoe, van onder hen.

'O JA!' riep Hamnet, de kaketoe, van boven hen.

CWX25 Versie 2.0 zweefde inmiddels vlak voor de slee. Met zijn gladde stem (waar nu ineens weer een blikkerig gekras in doorklonk, waarschijnlijk omdat de deuk een deel van zijn mond had vervormd) zei hij: 'Zet die Superslee alsjeblieft weer aan de grond, Gary.'

'O, daar gaan we weer.'

'Gary. Zet die Superslee alsjeblieft weer neer.'

'Blik dicht, CWX25 Versie 2.0!'

'Kerstman! Kerstman! Kerstman!' riep Jonas uit.

'Dat is niet de Kerstman!' zei Emma.

'Niet de echte Kerstman?' vroeg hij sip.

'Nee! Elke keer dat jij "Kerstman" roept, is het nooit de echte Kerstman. Jij ziet de Kerstman overal, maar dat is 'm niet. Dat is maar een Santavatar of een of andere tekenfilm... en in dit geval is het een robot met een kersttrui aan.'

'Zo maak je hem nog aan het huilen, Emma!' zei Bonnie. En Emma voelde zich ook best rot om wat ze had gezegd.

'Jongens, ik denk dat we op dit moment wel even andere dingen aan ons hoofd hebben,' zei Bossy Immergroen nu CWX25 Versie 2.0 met gestrekte armen door de lucht op hen afkwam.

'Als je die Superslee niet meteen aan de grond zet, Gary, dan zal ik mezelf eraan vastklampen en je naar de grond dúwen met behulp van mijn jetpackvoeten, die ik ook in hun achteruit kan zetten,' zei hij kalmpjes. Hij zweefde ongeveer twee meter verderop... maar kwam snel dichterbij.

'Dat is interessant, ze heten écht jetpackvoeten,' zei Morris tegen Emma. 'Ik dacht dat je dat gewoon ter plekke had verzonnen...'

'Pap!' riep Emma. 'Snel! We moeten maken dat we hier wegkomen!'

'Maar... we kunnen geen kant op!' zei Gary. 'Ze hebben alle luiken gesloten!'

'INDERDAAD!' zei Bry. 'DUS DAN KUN JE NET ZO GOED NAAR BENEDEN KOMEN!' Hij liet zijn stem zakken en glimlachte terwijl hij naar Hamnet, Hamnet, Fester en Raisa keek. 'Als je dat wilt, tenminste. Ik geef iemand die bij Winterzone werkt nooit een rechtstreeks bevel. Je kent mij; ik haat die hele dynamiek en de machtsverhoudingen tussen baas en werknemer.' Hij keek weer naar Gary. 'MAAR ALS IK

JOU WAS, ZOU IK DAT MAAR WEL DOEN, BAXTER!'

'PAP!' schreeuwde Emma. Laten we gaan!'

'Waarheen?' vroeg hij zwakjes.

Zoeff, zoeff! CWX25 Versie 2.0's armen bewogen zich als een krab met zijn scharen naar de voorzijde van de Superslee.

'NAAR BOVEN!' schreeuwde Emma. 'DWARS DOOR HET WINTERZONE-RAAM HEEN!'

Haar vader keek omhoog. En hapte naar lucht. 'Het Wínterzone-raam! Ik kan het Winterzone-raam toch niet kapotmaken?'

'DAT KUN JE WEL, PAP!'

'Nee, dat kan ik niet!'

'Meneer Baxter,' zei Morris opgewonden toen hij naar hem toe leunde. 'Luister... dit bedrijf heeft u helemaal kleingekregen. Het heeft al jaren geen aandacht meer voor u en uw briljante werk aan deze slee. Als je het mij vraagt, bent u Winterzone helemaal niets verschuldigd...'

KLOENK!

'De robot zit vastgeklemd!' zei Bonnie.

'O,' zei Morris. 'Misschien hebben we dan nu niet genoeg tijd om er dieper op in te gaan.'

'Het spijt me echt, Gary,' zei CWX25 Versie 2.0. Zijn ogen flitsten en zoemden en grote stralen vuur spoten brullend uit zijn voeten. 'AFDALING INGEZET!' kondigde de robot aan.

HOOFDSTUK 30

Plankgas

De kracht van de jetpacks in de voeten van de robot trok de slee langzaam terug naar de grond, waar Bry, Hamnet, kaketoe-Hamnet (die inmiddels op de schouder van de menselijke Hamnet was neergestreken), Fester en Raisa stonden te wachten. Bry glimlachte. Hij had zijn armen gespreid alsof hij hen wilde opvangen.

'Pap!' riep Emma. 'Doe iets!'

Gary had het stuur van de Superslee nog in zijn handen. Hij was lijkbleek. Hij schudde zijn hoofd.

'Ik zou niet zo goed weten of hij nog wel iets kan doen, Em!' riep Bry naar hen omhoog. 'En, hé, Gary, ik moet zeggen dat je hier een wel heel gaaf uitziende machine in elkaar hebt gesleuteld. Dat heb je goed gedaan. Ik denk... Weet je wat? Ik denk dat die er heel goed uit gaat zien in fotosessies en memes. We kunnen er zelfs een bedrijfsfilmpje mee opnemen, wat zeg je ervan?'

Gary keek opzij. Voor het eerst zag Emma de uitdrukking van haar vaders gezicht veranderen in iets van woede en kracht.

'Ik zeg...' begon hij, '... dat jij en Winterzone de pot op kunnen!'

Na die woorden leunde hij naar achteren in zijn stoel en trok hard aan het stuur, waardoor de Superslee als een mechanische leeuw begon te brullen. De achterkant schoot omhoog terwijl de neus nog steeds werd vastgehouden, en verzwaard, door CWX25 Versie 2.0.

'AAARRGGHH!' schreeuwde Bossy, die naar voren tuimelde.

'Kerstman! Ophouden! Weg!' riep Jonas.

'Hij is niet de Kerstman!' schreeuwde Emma.

Gary drukte op een knop op het dashboard waar 'PLANK-GAS' naast stond.

'HOU JE VAST!' riep hij.

De Superslee brulde weer. Die brul werd langzamerhand sterker dan het (eveneens best brullende) geluid van de voeten van CWX25.

De voorkant van de slee trok zich horizontaal en richtte zich naar boven. De robothanden klemden nog steviger om de neus, maar dat maakte geen verschil. De Superslee bewoog langzaam maar zeker omhoog. De robot keek nu naar de Baxters en Morris en Bossy, die allemaal in de Superslee zaten. En opeens deed zijn gezicht iets wat eerder nooit mogelijk had geleken: het keek verward.

Toen Gary dat registreerde, trok hij nog harder aan het stuur. De motor van de slee begon nog meer te ronken. De slee schoot omhoog en gooide CWX25 Versie 2.0 van zijn neus. De robot tuimelde met een paar salto's naar beneden. BAM! Dat was het moment waarop hij de grond raakte.

'CWX25 Versie 2.0!' riep de menselijke Hamnet, alsof zijn eigen kind zojuist was aangereden door een auto.

'CWX... Weet de getallen niet meer! Weet de getallen niet meer!' krijste Hamnet de kaketoe.

'Het... is... de... mooiste... tijd... van... het... jaaaaaaa....' zong CWX25 supertraag, nu hij met zijn gezicht naar boven op de grond lag. Hij klonk nog een stuk erger dan Versie 1.0 eraan toe was geweest.

De Superslee, die nu niet langer verzwaard werd door het gewicht van de robot, schoot nog verder de lucht in. Hij zweefde nu vlak onder het plafond. Vlak voor dat grote Winterzone-raam.

'Doe het niet, Baxter,' zei Bry. 'Je bent een Winterzone-man. Dat weet ik gewoon.'

Morris leunde vanaf de achterbank weer naar voren. 'Zoals ik al zei, Gary, ze hebben u helemaal kleingekregen. Ze hebben al jaren geen aandacht meer voor u en uw briljante werk. Ze...'

'Ja, ja, Morris,' zei Gary zonder om te kijken. 'IEDEREEN: TREK JE HOOFD IN!' Hij duwde het stuur nu naar voren en de slee vloog op hoge snelheid op het smalle Winterzone-raam af.

HOOFDSTUK 31

Hou je vast!

KRAK! Even later gevolgd door **PATS! RINKEL!**

De Superslee vloog dwars door het Winterzone-raam. Maar het glas verbrijzelde niet in een keer. Het barstte eerst in een van de hoeken, waar een rij ouderwetse, nostalgische huisjes was afgebeeld met sneeuw op het dak, en Gary moest de motor nog even flink laten ronken, naar achteren vliegen en nog een keer naar voren stoten om ook echt door het raam heen te komen!

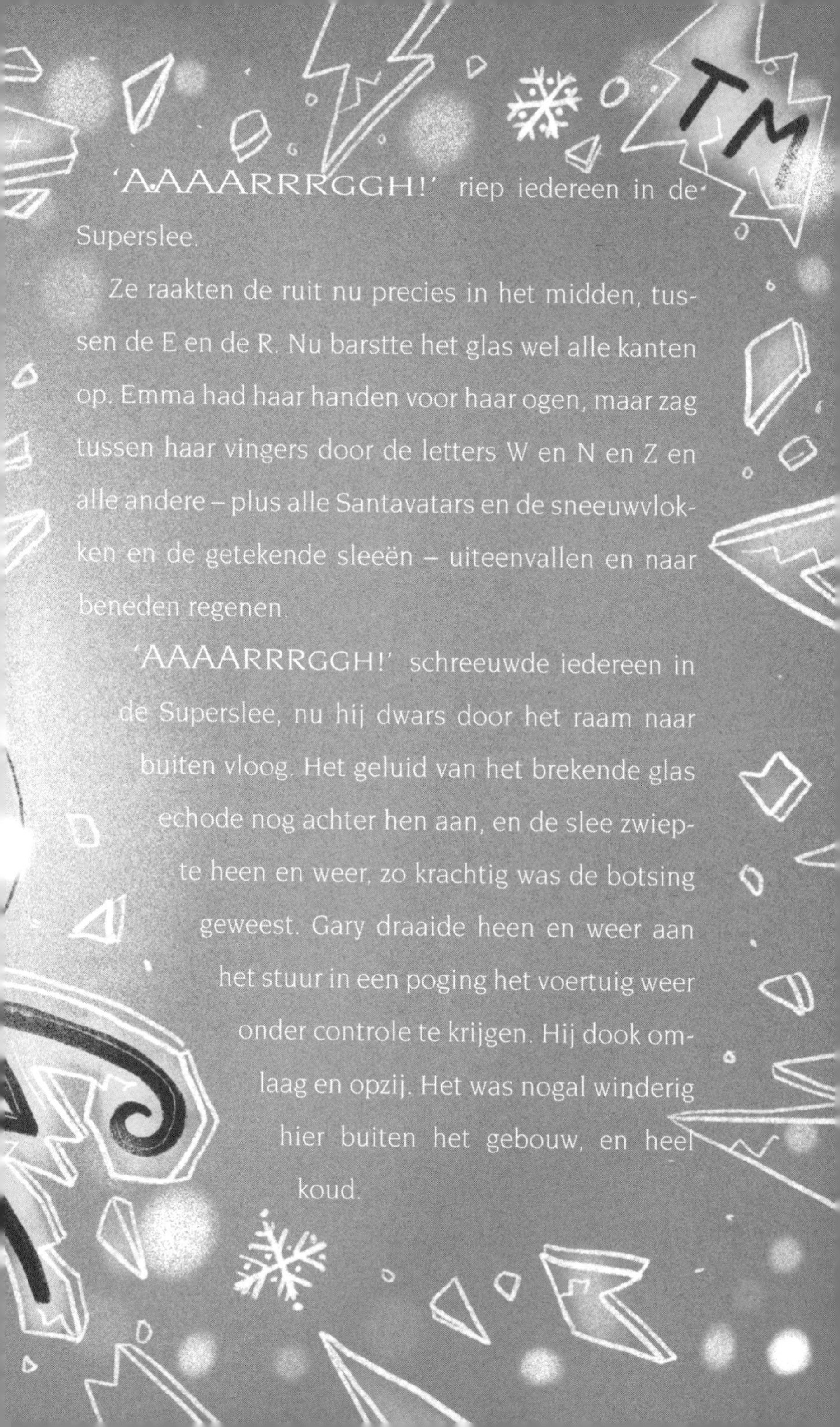

'AAAARRRGGH!' riep iedereen in de Supperslee.

Ze raakten de ruit nu precies in het midden, tussen de E en de R. Nu barstte het glas wel alle kanten op. Emma had haar handen voor haar ogen, maar zag tussen haar vingers door de letters W en N en Z en alle andere – plus alle Santavatars en de sneeuwvlokken en de getekende sleeën – uiteenvallen en naar beneden regenen.

'AAAARRRGGH!' schreeuwde iedereen in de Superslee, nu hij dwars door het raam naar buiten vloog. Het geluid van het brekende glas echode nog achter hen aan, en de slee zwiepte heen en weer, zo krachtig was de botsing geweest. Gary draaide heen en weer aan het stuur in een poging het voertuig weer onder controle te krijgen. Hij dook omlaag en opzij. Het was nogal winderig hier buiten het gebouw, en heel koud.

'HOU JE VAST!' zei Gary.

Ondanks haar angst – en een vlaag van misselijkheid – was Emma behoorlijk onder de indruk. Misschien, zo dacht ze, was haar vader al met al toch niet zo'n watje.

De slee was eindelijk weer stabiel. Nu kon Emma over de rand naar beneden kijken. De zon begon al onder te gaan en de straatverlichting knipperde aan. Hoe verder ze bij Winterzone vandaan vlogen, hoe meer alle herrie – het brekende glas, de ronkende slee, het geschreeuw van Bry en de rest van zijn mensen – eindelijk wegzakte. Emma keek naar haar vader. Hij had zijn ogen naar voren gericht, maar leek te voelen dat zij hem aankeek, want hij draaide zijn hoofd naar haar toe.

'Alles oké?' vroeg hij.

'Ja, prima, pap. Dat was geweldig. Dít is geweldig. Ik ben zo tróts op je!'

Hij bloosde en glimlachte. 'Dank je. Om heel eerlijk te zijn was ik er tot op dit moment niet eens zeker van dat de slee kon vliegen. Ik bedoel, ik heb hem wel zo gebouwd, ook al bleef Bry er maar op hameren dat dat nergens voor nodig zou zijn. Maar ik vond het belangrijk dat hij echt kon vliegen. En dat ik wist hoe ik hem moest besturen. En nu blijkt... dat hij vliegt! En dat ik hem kan besturen!'

Hij drukte tegen een schakelaar vlak voor hem. De slee hield nu een prettige snelheid aan.

'Ja, ik ben ook trots op je!' zei Bonnie. 'Maar, één dingetje nog: waar gaan we naartoe?'

Gary fronste zijn wenkbrauwen. 'Hm. Dat is een goede vraag. Naar het appartement, denk ik?' Hij keek uit over de stad, in de richting waar hij dacht dat het huis ergens te vinden moest zijn. 'Ik weet alleen niet of ik dit ding voor de deur kan parkeren.'

'We moeten de parkeervergunning misschien uitbreiden,' stelde Bonnie voor.

'Maar er is per huishouden maar één voertuig toegestaan,' antwoordde hij.

'Daar zeg je zowat,' zei ze.

'Mam...' zei Emma. 'We kunnen nu nog niet terug naar ons appartement. Want... sorry dat ik het zo moet zeggen, maar... de hele reden dat ik meedeed aan Het Perfecte Cadeau Alsjeblieft en dat ik niet vroeg om een halsband voor Wieps maar om dit ding...' Ze gaf een klopje op Raisa's tas, die nog steeds over haar schouder hing, 'was dus omdat... Nou ja... wij... dat wil zeggen, Morris en Bossy en ik... Wij denken dat hierin...' Haar wangen liepen ondertussen rood aan, want ze besefte hoe suf dit klonk. 'We denken dat hierin het contract van de Kerstman zit. Van de échte Kerstman. Met Winterzone.'

Gary keek haar aan. Hij schakelde de slee over op zweefmodus, waardoor hij midden in de lucht stil bleef hangen.

'Sorry, kun je dat alsjeblieft nog eens zeggen?' vroeg hij na een paar tellen.

HOOFDSTUK 32

Wil je mijn elf-itimatie zien?

Een paar minuten later had Emma (met enige hulp van Bossy en Morris) alles uitgelegd: dat ze de XMX-bezorger hadden opgezocht op de ezelboerderij in het bos, dat die had toegegeven de Kerstman te zijn en hun had verteld over het contract met Winterzone dat hij had ondertekend.

'En daarom moeten we nu dus meteen naar hem toe!' Ze hield de tas omhoog. 'Om dat ding te verscheuren, zodat hij gewoon weer de enige en echte Kerstman kan zijn!'

'Ah...' zei Gary nogal aarzelend.

'Sterker nog,' ging Emma verder, 'we moeten ervoor zorgen dat Kerstmis weer écht wordt!' Ze keek naar Morris en Bossy. 'Dat was ons plan! Het plan van mij en Morris en Bossy!'

Bonnie leunde naar voren vanaf haar plek achter in de slee.

'En waarom is dat zo belangrijk voor je, lieve schat?' vroeg ze.

Emma keek haar aan. Haar stem sloeg een beetje over en ze wreef in haar ogen. Misschien kwam dat wel doordat ze zo hoog vlogen. 'Vanwege... vanwege oma Jo.'

Gary keek naar haar. Hij zei niets. Hij liet haar uitpraten.

'Omdat ik me herinner wat ze me vertelde. Over die andere versie van Kerstmis die er vroeger was. Die betere versie. En die is er misschien nog steeds wel ergens.'

'Emma...' begon Gary. 'Dat is echt prachtig. Ik meen het. Maar... ik weet niet zo goed hoe ik dit moet zeggen...' Hij keek naar iedereen in de slee. 'Ik weet niet... ik vind het maar lastig te geloven... dat die bezorger die in het bos woont... de échte Kerstman is.'

'O, dat is hij zeker,' zei Bossy Immergroen. 'Anders ben ík geen echte elf.'

'Juist, ja. Daar ben ik ook niet echt helemaal van overtuigd, zie je.'

Bossy werd nu knalrood. 'Hoe dúrf je?' vroeg hij. 'Moet ik mijn elf-itimatie laten zien, soms?'

'Je wat?' vroeg Bonnie.

'Mijn elf-itimatie.'

'Kijk, en precies door dat soort woordspelingen heb ik het idee dat ik je niet echt serieus kan nemen,' zei Gary.

Bossy schudde zijn hoofd en zei met een stem vol teleurstelling: 'Dan heb je blijkbaar nooit goed op de knalbonbons gelet. Ik schrijf jaarlijks een aardige hoeveelheid van die grappen.'

'Luister, Emma,' zei Gary nu. 'Laten we gewoon naar huis gaan, dan hebben we het er morgen over.'

'Maar morgen is het kerst, pap!'

'Oké. Dan hebben we het er na de kerst wel over, zo veel haast heeft het toch niet?'

PIEP. PIEP. Dat geluid kwam ergens vandaan. Iedereen keek naar voren, bang dat het geluidje betekende dat er iets mis was met de slee. Maar het was Gary's telefoon die een signaal gaf.

Hij pakte zijn telefoon erbij en keek bezorgd. Heel bezorgd.

'Wat is er?' vroeg Emma.

Hij draaide zich om. 'Het is een bericht. Een persbericht, zelfs. Afkomstig van Bry Bladt, namens Winterzone.'

Emma fronste haar wenkbrauwen. 'En wat staat erin?'

'Er staat... bij een inbraak in het pand van Winterzone... zijn de computers gesaboteerd... door afschuwelijke, kwaadaardige mensen!'

'Maar dat is helemaal niet waar!' riep Emma verontwaardigd. 'Waar hebben ze het over?'

'En daarom... zetten ze nu alles stil. Alle bezorgingen. Alle cadeaus... zullen tot nader order... in het pakhuis van Winterzone blijven liggen.'

Het bleef stil. De wind gierde om de slee heen.

'Wat betekent dat?' vroeg Emma na een poosje. Haar keel was droog – en dat kwam niet alleen omdat ze zo hoog in de lucht zat.

'Dat betekent...' zei Gary met een geknepen stem, 'dat... ehm... Winterzone... bij wijze van wraak... Kerstmis heeft gecanceld! Voor iedereen!' Hij keek haar aan. 'En ze geven ons de schuld!' Hij schudde zijn hoofd.

'Dat is afgrijselijk!' zei Morris.

'Ja!' zei Gary.

Weer was het stil. Toen zei Gary: 'Dus... wat moeten we nu doen?'

Een hele poos zei niemand in de Superslee iets. Behalve Jonas. Die zei, op smekende toon: 'Kerstman! Kerstman! Kerstman?'

Emma knipperde met haar ogen. Haar gezicht

vertrok. 'Goed idee, Jonas. Luister, pap, we hebben nu echt geen keus meer. Kunnen we dan alsjeblieft nu naar…' Ze draaide zich om naar Bossy.

Bossy, die meteen begreep wat ze bedoelde, stond op en wees naar een punt in de verte, naar iets wat in de gouden gloed van de ondergaande zon een groen bos leek.

'Die kant op,' zei hij.

DEEL VIER:

MOET IK HET ÉCHT NOG EEN KEER ZEGGEN?

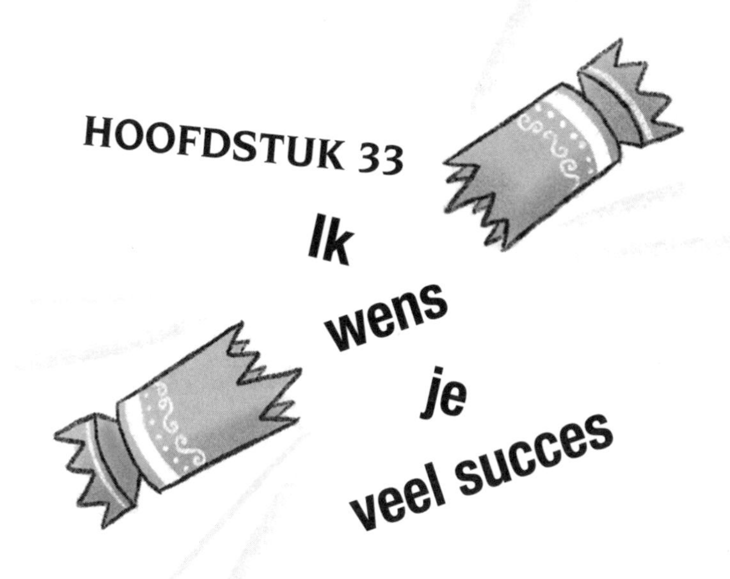

HOOFDSTUK 33
Ik wens je veel succes

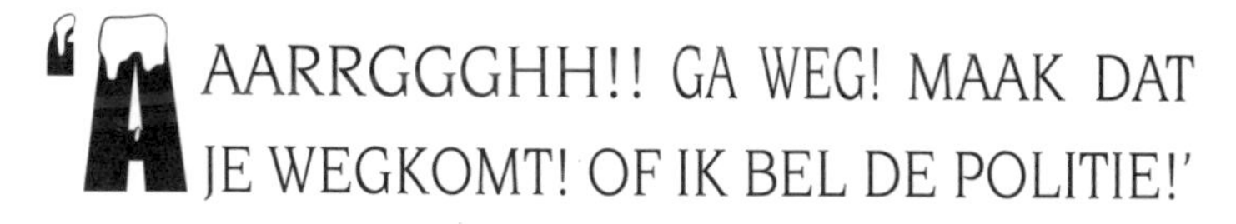

'AAARRGGGHH!! GA WEG! MAAK DAT JE WEGKOMT! OF IK BEL DE POLITIE!'

Dat zei de Kerstman.

Het zat Emma, Morris en Bossy niet echt mee. Het werd al laat. Ze hadden vlak boven het bos gevlogen tot ze precies de juiste locatie hadden gevonden, maar zodra ze omlaag zakten om te landen, had de wind rond de slee het versplinterde, kapotte houten hek omvergeworpen, net als het versplinterde, kapotte houten huisje – wat eigenlijk meer een schuurtje was. Het enige wat ervan over was, waren een paar losse planken en het bord met de naam EZELBOERDERIJ VAN KREUPELWOUD erop. En zelfs dat was in twee stukken gebroken.

De man die in de ogen van Bonnie en Gary nog steeds de XMX-bezorger was, maar die Emma, Morris en Bossy kenden als de Kerstman... – zullen we hem vanaf nu maar gewoon Kerstman noemen? – stond vlak voor het veld met de ezels en een rendier. De ezels en het ene rendier hadden zelfvoldaan staan toekijken terwijl de Superslee was geland. Maar de Kerstman schreeuwde luidkeels en zwaaide met zijn armen door de lucht.

'JULLIE HEBBEN DE EZELBOERDERIJ HELEMAAL VERNIELD!'

'Sorry!' riep Emma terwijl ze uit de slee klom.

'Nou, dat valt best mee,' zei Morris, die ook uitstapte. 'We hebben alleen het versplinterde, kapotte huisje – eigenlijk is het meer een schuurtje – dat ervoor stond met de grond gelijk gemaakt. De ezels en het rendier lijken me ongedeerd.'

'Ja, daar heeft hij wel een punt, meneer Claus,' zei Bossy.

'NEE, DAT HEEFT HIJ NIET, MENEER IMMERGROEN!'

'Eh...' fluisterde Bonnie, die nog wel in de slee zat, tegen Gary, die daar ook nog in zat. 'Denk jij ook dat hij misschien dan toch echt...'

'Ach, doe niet zo mal,' zei Gary, die achteromkeek. Bonnie hield Jonas vast, die met grote ogen naar de schreeuwende man staarde.

'WAT MOETEN JULLIE VAN ME?' schreeuwde de Kerstman.

'Weet u wat er is gebeurd?' vroeg Emma.

'JULLIE HEBBEN MIJN EZEL-EN-EEN-RENDIER-BOERDERIJ GESLOOPT, DAT IS ER GEBEURD!'

'Volgens mij hebben we het hier net nog over gehad,' zei Morris. 'Zou ondertussen iedereen even zijn telefoon uit willen zetten?'

'Waarom?' vroeg Gary.

'Omdat Winterzone ons anders met gemak kan opsporen. Dan weten ze precies waar we zitten!'

Gary haalde zijn schouders op, maar pakte zijn telefoon en schakelde hem uit, net als de anderen.

'En nu we het toch over Winterzone hebben,' zei Emma, 'dát is dus wat er is gebeurd! Ze hebben Kerstmis gecanceld! Afgelast! Stopgezet!'

Nu staarde de Kerstman haar aan. 'Wat?' vroeg hij ineens een stuk rustiger.

'Ja, echt. Ze hebben het gedaan omdat... omdat wij naar binnen zijn gegaan... in het Winterzone-gebouw... om iets te pakken te krijgen... wat u zou kunnen helpen...'

'We hebben iets gestolen. Technisch gezien,' zei Bossy.

'Is het echt nodig om het zo te noemen?' vroeg Emma.

Hij haalde zijn schouders op. 'Ik ben advocaat, dan krijg je dat.'

'Wat heb je gestolen?' vroeg de Kerstman.

'Dit,' zei Emma. Ze liet Raisa's handtas van haar schouder glijden. De Kerstman keek ernaar en fronste zijn wenkbrauwen.

'Is dat...?'

'De tas van Raisa. Bossy denkt dat uw contract hierin opgeborgen zit.'

De Kerstman ademde diep in. 'Ja, ik weet dat hij dat denkt. Is het ook zo?'

'Tja...' Emma probeerde nog eens om de groene klemsluiting aan de bovenkant met haar kleine vingers open te duwen. 'We krijgen hem niet open.'

'Sorry, maar mag ik even storen?' vroeg Gary, die opeens naast hen opdook. 'Hallo! Ik geloof dat u kortgeleden nog bij mijn kinderen thuis bent geweest, toch? Om iets te bezorgen? Of ook niet? Hoe dan ook, ik denk dat we snel weer moeten vertrekken. Ik geloof niet dat dit allemaal nog erg logisch is.'

De Kerstman keek hem argwanend aan. 'Dit allemaal? Wat allemaal?'

'Dit hele... rare verhaal. Dat u... u weet wel... hém bent.'

'Hem?'

'U weet wel,' zei Morris. 'Kris Kringle. Santa Claus. Nikolo. Papa Noël. Baba Tsjagaloe. Hotei-Osho!'

'Gezondheid,' zei Gary.

'Nee, dat is de naam van een boeddhistische monnik in Japan die het equivalent is van...'

'Zo,' zei de Kerstman, die nu vlak voor Gary kwam staan. 'Als u het echt wilt weten, meneer, dan kan ik u zeggen dat ik inderdaad...'

'Nee,' zei Bossy vastberaden. 'Denk aan de geheimhoudingsverklaring.'

'Huh?'

'De verklaring. Van geheimhouding. Je mag hem niets vertellen.'

De Kerstman keek hem geërgerd aan. Hij wees naar Emma en Morris. 'Ik heb het hun toch ook al verteld?!'

'Ja, maar zij zijn kinderen. En traditioneel gezien, in de verhalen, vooral in verhalen waarin kinderen veel eerder doorhebben dat er iets magisch aan de hand is, geloven volwassenen er toch geen woord van. Dus dat lijkt me, juridisch gezien, wel in orde.'

'Hebt u gedronken?' vroeg Gary.

'Nee. Zoals ik al zei, ik ben advocaat,' zei Bossy.

'Nee, jij niet. Hij.'

'Ach, een klein ieniemienie slokje sherry maar,' zei de Kerstman nogal defensief. 'Om de koude winternachten door te komen.'

'Juist. Emma! Morris!' zei Gary. 'We gaan!'

'Nee!' zei Emma, die weer haar best deed om de sluiting van de tas open te wrikken. Haar gezicht vertrok van de inspanning. 'We moeten deze tas openmaken!'

Bonnie kwam bij hen staan. Ze sloeg een arm rond Emma's schouders. 'Emma, lieverd, het wordt al laat. En morgen is het kerst.'

'Nee, dat is het niet,' zei Emma, en ze klonk steeds bedroefder. 'Niet na wat Winterzone heeft gedaan!'

'Misschien...' Bonnie keek op. Ze had Jonas nog steeds op haar arm, en die staarde nog steeds naar de Kerstman. Ze richtte zich nu tot iedereen. 'Misschien is de les voor iedereen wel dat we... geen cadeaus nodig hebben. Met Kerstmis. Misschien draait Kerstmis niet alleen maar om cadeautjes. Het gaat om iets heel anders, nietwaar? Familie. En traditie. En liefde. En samen tijd doorbrengen.' Terwijl ze sprak, dwaalde haar blik omhoog, naar de hemel. Bijna alsof je muziek kon horen aanzwellen terwijl ze sprak. 'Wij kunnen er iets speciaals van maken, we kunnen er nog steeds de mooiste tijd van het jaar van maken, zonder cadeautjes. Ja, toch?'

'Ja, nou,' zei Morris, die de tas van Emma aannam en zo hard als hij kon met zijn vingers tegen de klemsluiting duwde. 'Ik wens je veel succes.'

HOOFDSTUK 34

Bliksem

Morris kreeg de handtas ook niet open. Gary kwam naast hem staan en bestudeerde de tas eens goed.

'Ja... ik zou zeggen dat daar een 58XJG op zit.'

'Wat is dat?' vroeg Morris hijgend.

'Een door Winterzone gegenereerd digitaal slot. Dat kan alleen maar worden geopend met een gecodeerde lasersleutel.'

'O...' zei Morris, en hij gaf het op. 'Hebt u er toevallig zo eentje mee?'

'Nee. Die worden gemaakt in TingelTech 2. Ik werk bij TingelTech 1.'

'Ja. Dat weet ik.'

'Dus, ja... Ik zou zeggen... Het was een geweldig plan, hoor, maar misschien...'

'O, alle stuiterende sneeuwvlokken!' mopperde de Kerstman. 'Bliksem!'

'Pardon?' vroeg Gary.

'BLIKSEM!'

Iedereen keek om. Langzaam, en zonder zich druk te hoeven maken om over het hek heen te komen – want dat was omvergeblazen – stapte het zwak uitziende rendier op hen af. Zijn gewei zat, nu ze het van dichtbij zagen, onder de krassen en zag er nogal gehavend uit. Zijn grote bruine ogen keken op naar de Kerstman.

'Je vindt het waarschijnlijk niet het allerlekkerste hapje,' zei de Kerstman, 'maar zoals we allemaal weten heb je heel erge honger. Want...' En nu keek hij naar Bossy, 'er zijn dus geen wortels!' Hij keek omlaag naar de tas. 'Deze tas lijkt qua kleur in elk geval nog een beetje op een wortel.'

'Wa...' Emma wilde 'Wat?' zeggen, maar nog voor ze klaar was met het woord had de Kerstman de tas uit Morris' handen gegrist en hield hij hem voor Bliksems neus.

Bliksem keek er eens naar: een oranje tas met een groene klemsluiting aan de bovenkant. Zijn ogen werden groot. Opeens sperde hij zijn grote bek open en beet hard in de klemsluiting.

'Hartelijk bedankt!' zei de Kerstman, die de rest van de tas uit de kaken van het rendier trok. 'Ik wist wel dat die reusachtige tanden het nog steeds deden!'

Hij hield de kapotte restanten van de tas in de lucht. Bliksem kauwde gewoon door. Hij leek best in zijn nopjes met het hapje. Hij liet een boer.

'Claus!' riep Bossy. 'Wil je er wel even voor zorgen dat hij het contract niet opeet! Als we het ongeldig willen laten verklaren, zonder waarde, dan denk ik niet dat ik in de rechtbank hoef aan te komen met de smoes dat mijn rendier het papier heeft opgegeten! Nee, dat klinkt echt nergens naar. Alsof je tegen je leerkracht zou zeggen dat je hond je huiswerk heeft opgegeten!'

'Rustig aan, Immergroen,' zei de Kerstman, die de lange, knokige vingers van zijn rechterhand in het onderste deel van de oranje tas stak. Al was het nu niet echt meer een tas te noemen, meer een soort doek met een lange, rafelige bovenkant. Hij tastte heen en weer. 'Eens kijken of je instinct klopte. Aha!'

Hij trok zijn hand er weer uit. En in die hand hield hij een opgerold papier dat met een rood lintje en een strik was vastgebonden. Hij trok het lint los en rolde het papier open.

'JAJA! Hier is het!' Hij overhandigde het aan Bossy. 'Ga je gang, doe jij je advocatending maar!'

Bossy hield het document aan boven- en onderkant vast, als een stadsomroeper van weleer. 'Ahum. Ja. Er staat... "Ik, de Kerstman, ook wel bekend als Father Christmas, Kris Kringle, Santa Claus, Deda Mraz, Père Noël, De Oude Winterman, Hotei-Osho..."'

'Je hoeft ze denk ik niet allemaal voor te lezen...' opperde Morris.

'O, ja. "Ik zweer dat ik, bij het ondertekenen van dit document, zal ophouden met het uitvoeren van enige en alle kerstmanachtige taken, waaronder lijstjes maken van lieve dan wel stoute kinderen, vliegen met een vliegende slee vol cadeautjes, via een schoorsteen omlaag glijden om eerdergenoemde cadeautjes onder kerstbomen te deponeren en met het drie keer achter elkaar uitspreken van het woord 'ho'." Nee, wacht, dat laatste is weer doorgestreept.'

'Dat zei ik toch?' zei de Kerstman. 'Ho ho ho.'

Bossy vervolgde: '"Tevens stem ik ermee in niemand hier iets over te vertellen." Misschien een paar kinderen die toch niemand gelooft, maar beslist geen volwassenen...'

De Kerstman keek hem aan. 'Dat laatste heb je net verzonnen, of niet?'

'Ho ho ho!' zei Bossy.

HOOFDSTUK 35

De kerstsfeer

'Ja, maar is het voorlezen hiervan... van wie u echt bent... niet ook een schending van de geheimhoudingsverklaring in dit contract?' vroeg Gary.

Bossy keek op. Hij deed zijn mond open, en sloot hem weer. 'Hmm. Misschien moet ik toch weer eens wat meer in dat advocatengedoe duiken...'

'Dit is het dus,' zei Emma, die het contract uit Bossy's handen pakte en ermee naar de Kerstman liep. 'Dít is wat we hebben gedaan. Voor u. We hebben het gevonden. Het document waardoor u geen Kerstman meer mag zijn. En we hebben het naar u toe gebracht.'

Ze stak haar hand met daarin het contract naar hem uit.

'Dus... Kerstman... nu moet u het nog verscheuren.'

'Eh...' zei Bossy, 'als advocaat moet ik toch adviseren dat niet te doen... Zoals ik er daarnet ook op tegen was dat het zou worden opgegeten door Rud...'

'En dan,' ging Emma gewoon door, alsof Bossy niets had gezegd, 'moet u in die Superslee stappen die mijn vader heeft ontworpen – die geweldige machine daarzo – en alle cadeaus brengen naar de kinderen die erop zitten te wachten.' Ze ging dichterbij staan. 'U moet weer de Kerstman zijn!'

Hij keek naar Emma. 'Aha,' zei hij.

'Nú,' zei Emma.

De Kerstman slaakte een diepe zucht. Hij stak zijn handen uit en nam het document van haar aan.

'Ik... Ik weet het niet, Emma.'

'Waarom niet?'

Hij liep naar een boomstronk vlakbij en ging zitten. 'Omdat ik dit met een reden heb ondertekend.' Hij wachtte even. 'Ik ben oud. Ik ben moe.'

'Weet ik. Maar ze hebben zich niet aan de afspraken gehouden. Winterzone. Ze zeiden dat ze de kerstsfeer zouden behouden. Dat hebben ze niet gedaan!'

'Ik weet het, Emma,' zei hij met een diepe zucht. 'Ik weet het. Dat wil alleen niet zeggen...' Hij keek op. Zijn gezicht zag er vermoeid uit. Zijn baard glinsterde heel wit in het maanlicht. 'Dat wil niet zeggen dat ik niet meer oud en moe ben.'

Het bleef stil. Niemand wist goed wat hij moest zeggen. Morris keek naar Emma. Die leek heel hard te knipperen om niet te gaan huilen.

'Misschien moeten we hem maar met rust laten...' stelde Morris voor.

'Nee! Nee. Wacht...' Ze rende naar de Superslee en stak haar hand erin. Ze kwam weer terug, nu met haar schooltas in haar handen.

Die tas zette ze op de grond, voor de boomstronk, en ze ritste hem open. Ze stak haar hand erin en haalde er een… oude witte schoenendoos uit. Die doos overhandigde ze aan de oude man op de boomstronk.

Hij keek ernaar. Hij keek naar het handschrift op het deksel.

'Pas openmaken als…'

'… het ECHT…'

'… ECHT kerst is.' Hij keek naar haar op. 'Is dat nu?'

Emma sloot haar ogen. 'Ik weet het niet.' Ze deed haar ogen weer open. 'Maar dit komt er tot nu toe het dichtst bij van allemaal.' Ze knikte hem toe; hij mocht de doos openmaken. Hij tilde het deksel eraf.

Een voor een pakte hij de dingen op die erin zaten.

Een klein stukje zilverkleurige kerstslinger, waarvan zijn donkere ogen de glinstering reflecteerden.

Een glanzende rode bal. Hij hield hem omhoog. Emma zag zijn gezicht, zijn baard en zijn verdriet erin weerschijnen.

Een gouden knalbonbon. ('Zullen we hieraan trekken?' vroeg hij. 'Nee, nu nog niet,' zei Emma.)

Een kleine krijttekening van de Kerstman die op

zijn slee voor de maan langs vloog.

'Hoe kom je hieraan?' vroeg hij.

'Van mijn oma Jo gekregen,' zei Emma. 'Tijdens de laatste kerst die ze met ons heeft gevierd.' Ze draaide haar hoofd weg. 'Ze was altijd dol op Kerstmis. Op hoe kerst vroeger was.'

De man op de boomstronk knikte. Voorzichtig en zo behoedzaam als hij maar kon, zodat er niets zou breken, stopte hij alles terug in de doos. Hij keek op.

'Alstublieft, Kerstman...' zei Emma.

'Ik...' zei hij. 'Ik... misschien... maar... ik weet nog steeds niet zeker of ik... of ik dat wel wil...'

'Geloof me,' zei plotseling een stem. 'Dat wil je niet.' Het was een vriendelijke, glimlachende stem die nu onheilspellender klonk dan ooit.

HOOFDSTUK 36
De echte Kerstman

'Bry!' riep Gary uit. 'Hamnet, Hamnet, Raisa en Fester!'

'Ja,' zei Bry, 'wij zijn het.' Ze stonden in een rij tegenover hen. Achter die rij, op de open plek, stond een heel grote, heel zwarte elektrische auto. 'Jullie dachten toch niet dat je zo makkelijk van ons af kon komen?'

'Dat is wel typisch zo'n schurkenzinnetje, Bry,' zei Morris. 'Als ik zo eerlijk mag zijn.'

'O, is dat zo, Morris? Vind je dat? Ach. Nou, sorry

hoor. Maar het spijt mij vast niet zoveel als diegene van jullie die zelfs in dit godvergeten achterland zijn telefoon aan heeft laten staan, denk ik zo! Waardoor we jullie konden opsporen. En dat is…' Hij keek naar Raisa.

Zij pakte haar afstandsbediening en drukte op een knopje. Uit het niets zakte er een scherm omlaag, gewoon midden in de lucht in het bos, met daarop Morris' gezicht en een hele hoop gegevens eromheen geprojecteerd.

'Morris Cohen, Edisonlaan 41a. Elf jaar en drie maanden oud. Meest bezochte websites: Infopedia, Kennis punt com, Wijsneus punt net…'

'O, nee,' zei Morris, en hij pakte zijn telefoon. 'Weet je nog dat ik zei dat iedereen zijn telefoon moest uitzetten?'

'Toen ben jij vergeten de jouwe uit te schakelen?' vroeg Gary.

'Ja! Wat een ironie.'

'Maar niet op een grappige manier,' zei Gary.

'Nee, dat zal wel niet,' zei Morris.

'Maar dank je wel, Morris,' zei Bry. 'Daarvoor. Goed. Meneer,' zei hij, terwijl hij afstapte op de Kerstman, die er nu steeds meer uitzag als een onopvallende XMX-bezorger. 'We hebben dat hartverwarmende tafereeltje wel gezien. Zojuist. Met die witte schoenendoos. En zo. De jongens zeiden nog: "Laten we hier een eind aan maken!"'

'LATEN WE HIER EEN EIND AAN MAKEN!' krijste Hamnet.

'Dank je wel, Hamnet,' zei Bry.

'Dat was ik, niet de kaketoe,' zei Hamnet.

'Oké,' zei Bry. 'Hoe dan ook. Ik zei nee. Laten we blijven kijken. Het is zo bijzonder. Dat hele verhaal over die overleden oma...' Hij legde zijn hand tegen zijn borst. 'Hartverwarmend, echt. En zulke pure emotie kunnen we altijd goed gebruiken. Bij Winterzone, bedoel ik. Want daardoor willen mensen pas écht spullen kopen.'

Emma pakte haar schoenendoos en stopte hem terug in haar schooltas. Ze vond het maar niets hoe Bry erover sprak.

Bry bleef alleen maar kijken naar de man op de boomstronk.

'Maar hé, luister. Meneer. Het is natuurlijk úw keuze. Dat document. Dat is bindend. Daar kan ik niet omheen. Ik denk dat u ook wel weet wat er gebeurt als u zich niet aan het contract houdt. En...' Hij trok zijn neus op en kneep zijn ogen tot spleetjes. 'Dat wil natuurlijk niemand. Nee, toch? U al helemaal niet. Niet met al die kinderen die al... Nou ja, het is niet dat ik het erin wil wrijven of zo, maar... die nu al niet in u geloven.' De Kerstman trok een pijnlijk gezicht, alsof hij een stomp in zijn maag had gekregen. 'Maar hé,' ging Bry verder, 'als u het wilt verscheuren, verscheurt u het. Dat is het punt niet. Of juist wel het punt. Dan komt puntje bij paaltje, zoals uw kleine advocaat-elf u vast wel kan vertellen.'

'Laat dat "kleine" maar gerust achterwege,' zei Bossy.

Bry zat inmiddels op de boomstronk naast de Kerstman. 'Maar onthoud wel. Al die sherry. Al die rust. Al die vrije tijd... De tijd om helemaal niets te doen. Tijd om lekker te ontspannen... wat precies is wat iemand in uw levensfase hoort te doen, niet het hele jaar maar heen en weer moeten rennen omdat een stelletje...' Hij sloeg zijn arm rond de schouders van de man en keek nadrukkelijk naar Emma en Morris, 'laten we eerlijk zijn: verwende kinderen dat wil. U hoeft zich toch niet kapot te werken alleen maar zodat zij... heel eerlijk gezegd... hun hebberigheid vervuld zien?' Hij drukte de man stevig tegen zich aan en hield zijn gezicht vlak voor het zijne. 'Laat óns dat maar regelen. Laat Winterzone die last van uw schouders overnemen. Voorgoed. Ik bedoel... wij hebben er de mensen voor!'

Bry knikte naar Raisa. Ze drukte op een knop op haar afstandsbediening. Opeens verschenen er, verspreid over de hele open plek, tegen de bomen, tegen de bergen sneeuw, allemaal Santavatars. Een heleboel Santavatars, die zwaaiden en grijnsden en riepen: 'Ho ho ho!' en 'Vrolijk kerstfeest!' Iedereen keek ernaar. Fester en Hamnet klapten in hun handen. Hamnet de kaketoe flapte met zijn vleugels.

'Ha!' zei Bry. 'Ik bedoel: hoe geweldig is dit? Hónderden kerstmannen! Veel beter dan maar eentje. Dus, zeg nou zelf, welke reden kunt u hebben om dit te blijven doen? Serieus?'

Hij keek rond, alsof hij iemand uitdaagde om ertegen in te gaan. Terwijl hij dat deed, legde hij een hand op het contract om het stukje bij beetje uit de handen van de oude man te trekken.

Niemand zei iets. Morris voelde zich schuldig. Bossy keek naar de grond. Gary en Bonnie wisselden weer allerlei veelzeggende blikken met elkaar. En Emma had het gevoel dat ze haar best had gedaan, dat ze alles had gegeven, met haar schoenendoos.

En nog steeds zei niemand iets. Niemand, behalve...

'KERSTMAN! KERSTMAN! KERSTMAN!!'

'Pardon?' zei Bry. 'Wie zei dat?'

'KERSTMAN! DE ECHTE KERSTMAN! IK ZIE DE ECHTE KERSTMAN!'

Het was Jonas. Een kind van drieënhalf jaar oud, in de armen van zijn moeder. En hij wees.

Emma keek naar wat hij aanwees.

'KERSTMAN!' zei Jonas, en hij wees naar de Kerstman. Emma zag de man op de boomstronk opkijken. En zijn blik op Jonas richten.

'Haha!' zei Bry, die gebaarde naar alle Santavatars om hen heen. 'Je bedoelt... deze gasten, toch? Ja, toch, jochie?'

'NEE!' zei Jonas, en weer stak hij zijn vinger uit om te wijzen. 'ALLEEN DIE ENE! KERSTMAN!'

'Zet hem eens neer, mama,' zei Emma opgewonden.

'Huh?' vroeg Bonnie.

'ZET HEM NEER!'

Bonnie keek naar Gary. Die keek nogal onzeker, maar knikte.

Bonnie zette Jonas op de grond.

'KERSTMAN! DE ECHTE KERSTMAN!'

'Ja!' zei Emma. 'JA, JONAS! Dit keer heb je gelijk! HIJ IS DE ECHTE!'

Jonas liep naar de man op de boomstronk toe.

Hij stond vlak voor hem toen hij weer, en nu een

stuk zachter, zei: 'Kerstman.'

Hij sloeg zijn armen om de man heen.

En de Kerstman zei: 'Ja.'

HOOFDSTUK 37

De lijst van stoute kinderen

De Kerstman stond op en trok het contract uit Bry's hand.

'Nou, nou, meneer,' zei Bry. 'Doe geen dingen waar u spijt van krijgt.'

'Dat doe ik niet,' zei de Kerstman. 'Dat zou vreselijk zijn.'

Hij hield het contract voor zich uit. En met het papier tussen de vingertoppen van beide handen geklemd, scheurde hij het in twee stukken. Dat scheuren maakte best wel een hard geluid. Harder

dan je zou verwachten van een scheurend papier.

'O, jeetje,' zei Fester.

'Die is doormidden!' zei Hamnet.

'Goeie,' zei Hamnet de kaketoe.

'Dank je,' zei Hamnet.

'Dit is echt heel erg,' zei Bry. 'Dat is het punt. Het punt is dat dit heel, heel erg is.'

Maar zelfs terwijl hij dat zei, gebeurde er iets. De Kerstman, die inmiddels was opgestaan van de boomstronk, zag er opeens... nou ja, niet jónger uit, natuurlijk, maar wel sterker. Fitter. Hij trok het pak van XMX uit.

'Bossy! Heb je mijn, eh...'

'Ja, natuurlijk heb ik die!' zei Bossy. 'Die zou ik natuurlijk nooit weggooien! Sterker nog...'

Bossy kwam al aangelopen. Hij had een lange, rode jas in zijn handen met op precies de juiste plekken een witte bontrand. Hij klom op de boomstronk en drapeerde de mantel rond de schouders van de Kerstman.

'KERSTMAN!' riep Jonas. 'DE ECHTE KERSTMAN!'

'Ja,' zei Emma. 'Ja, ja, ja, ja, jaaaa!'

Bossy overhandigde hem nu een paar witte handschoenen, die de Kerstman meteen aantrok. Nu ging Bossy op zijn tenen op de stronk staan om een lange, rode muts met een wit bolletje aan het uiteinde op het hoofd van de Kerstman te zetten.

'Bonnie,' fluisterde Gary. 'Ik weet hoe belachelijk dit is, maar... ik begin nu toch te geloven dat hij... dat hij misschien dan toch...'

'Gary,' zei de Kerstman.

'Eh, ja?'

'Noem me maar Kerstman.'

'Oké.'

'Hoe ingewikkeld is het...' Hij gebaarde naar de Superslee. 'Om dat ding te besturen? Op een schaal van een tot tien?'

'Eh... zes? Ik heb geprobeerd het zo eenvoudig mogelijk te houden,' zei Gary.

'En hij is dus supersnel?'

'Zeker.' Gary keek hem aan. 'En... het is uiteraard geen enkel probleem... als u hem wilt gebruiken, Kerstman.'

De Kerstman glimlachte. Hij legde zijn hand met een lichte klap op Gary's schouder. 'Dank je, Gary.' Toen liep hij naar de plek waar Emma stond. Hij ging door zijn hurken. Je kon zijn knieën horen kraken, maar dat leek hem niet te deren. 'En jij ook bedankt, Emma. Je had gelijk. Ik was inderdaad vergeten wie ik was. En wat ik voorbestemd ben te doen. En jij...' Hij hield zijn gezicht vlak voor het hare. 'Jij hebt me daaraan herinnerd.'

Emma keek hem aan. Toen sloeg ze haar armen om hem heen en gaf hem – de échte Kerstman, wiens haar en baard opeens een stuk langer en witter leken – een stevige omhelzing.

'Ho ho ho!' zei hij. Hij maakte zich los uit de knuffel, draaide zich om en klom in de slee. Bossy klauterde achter hem aan. 'BLIKSEM! Kom je ook?' riep de Kerstman.

Ze keken allemaal met open mond toe hoe het rendier eraan gegaloppeerd kwam en met een grote aanloop zo de slee in sprong.

'Hoort hij niet vóór die slee te vliegen?' vroeg Morris.

'Ik denk dat een avondje vrij wel goed voor hem is,' zei de Kerstman. 'Maar ik wil hem nog steeds graag bij me hebben. En hij wil uiteraard ook graag mee, al is het maar voor de wortels!'

'O, alle arren aan de slee,' zei Bry. 'U weet toch wel wat er nu gaat gebeuren, meneer? Wij zullen bekendmaken dat u niet bestaat! Dat niemand in u zou moeten geloven!'

'Oké,' zei de Kerstman. 'Maar weet je wat, Bryan?'

'Bry.'

'Weet je wat, Bryan? Daar heb ik altijd al mee te maken gehad. Er zijn altijd al mensen geweest die niet in me geloofden. Het is aan de wereld – aan de kinderen – om te beslissen of ze in me willen geloven of niet. Zo is het altijd al geweest. Dus je kunt zoveel valse informatie over me verspreiden als je wilt. Want het feit blijft: morgenochtend worden kinderen overal ter wereld wakker met cadeautjes in hun kerstsok. Dus. Stop dat maar in je algoritme!'

Hij startte de motor. Die begon heel hard te brullen, als een leeuw!

'Maar...' zei Bry, die zo langzamerhand wanhopig klonk. 'Dat plan zal niet slagen! Want alle cadeautjes liggen in het pakhuis van Winterzone!'

'Weet ik. Dat wordt onze eerste stop.'

'Ha! Dat pakhuis zit potdicht en op slot. Digitaal afgesloten, meneer. Dus, eh... succes ermee, zou ik zeggen.'

'Wauw,' zei de Kerstman. 'Weet je wat? Ik denk dat

het wel goed komt. Ik heb niet voor niets al duizenden jaren ervaring met inbreken in gebouwen. Ik geloof niet dat ik ben vergeten hoe dat moet. Maar dank je wel voor de info, Bryan.'

Bry keek hem aan.

'Het is Bry.'

'Nee, hoor. Ik herinner me jou nog wel van toen je klein was. Jij stond altijd op de lijst van stoute kinderen. Helemaal bovenaan. En de naam was toch echt "Bryan". Hoe dan ook... zijn we zover, jongens? Toedeloe!'

Hij zette een andere schakelaar om en met een luid geronk steeg de Superslee op. Hij schoot boven de bomen weg, in de richting van de maan, zodat hij een silhouet wierp, een silhouet dat exact leek op een krijttekening van een klein kind dat tekende hoe de Kerstman met zijn slee voor de maan langs vloog.

HOOFDSTUK 38

Slotscène

'VROLIJK KERSTFEEST!' zei Bonnie, die uit de keuken kwam met een gigantische gebraden kalkoen (uit een laboratorium – een van de vele goede dingen aan deze toekomstige kerst is dat er geen dieren meer worden gedood voor het kerstdiner). Ze zette hem neer op tafel.

'VROLIJK KERSTFEEST, MAM!' zeiden Emma en Jonas. Op de televisie, die aan een muur vlak naast hen hing, waren beelden te zien van overal ter wereld: kinderen die cadeautjes openden en blij waren. Ergens speelde iemand *It's the Most Wonderful Time of the Year*.

'Ja, vrolijk kerstfeest, Bonnie!' zei Gary.

Bonnie glimlachte naar hem. Emma's vader had geen enkele kerst meer samen met hen gevierd sinds hij en Emma's moeder uit elkaar waren gegaan. Maar dit jaar voelde het heel anders. En dus was hij er wel.

'Vrolijk kerstfeest,' zei Morris, die er ook was.

'Miauw!' zei Wieps, die bij Emma's voeten zat. De kitten keek naar haar op in de hoop op wat restjes, en droeg een wel heel glinsterende halsband.

'Hij ziet er prachtig uit!' zei Gary.

'Dank jullie wel voor Wieps' halsband, mama en papa!' zei Emma.

'Eerlijk gezegd...' zei Bonnie, 'heb ik die niet voor je gekocht. Hij zat ineens in je kerstsok...'

'Ja, weet ik. Maar toch bedankt. Ik denk niet dat de Kerstman dit had kunnen bezorgen zonder jullie hulp!'

Bonnie en Gary keken elkaar weer aan. Maar nu met een glimlach.

'Was het pasteitje er nog? En de wortel? En het glaasje sherry?' vroeg ze.

'Alles was opgegeten en opgedronken!' zei Gary. Emma zag dat hij naar de kerstboom keek, waarin hij eerder op de avond nog de kerstbal uit de schoenendoos van oma Jo had opgehangen. De bal die hij als kleine jongen had gemaakt. 'Tjonge, dit was me de kerst wel!'

'En geweldig,' zei Emma. 'En weet je wat ook geweldig is?' ging ze verder terwijl ze haar telefoon omhooghield. 'Het aantal kinderen dat online praat over alle cadeaus, en berichten deelt waarin ze zeggen hoe vreemd en verkeerd het is dat sommige mensen nu beweren dat de Kerstman niet bestaat. Blijkbaar zijn er online heel wat rare en nieuwe accounts aangemaakt...'

'Hmm. En die "rare" accounts, daar zit Winterzone zeker achter?' vroeg Bonnie.

'Dat kan ik natuurlijk niet weten,' zei Emma. 'Maar de onaardige mensen zijn enorm in de minderheid, er zijn veel meer mensen die online dingen zeggen als: "Hier is mijn cadeautje, dus die Kerstman is echt wel echt!"'

'Kerstman!' zei Jonas. En iedereen glimlachte.

'Weet je wat ík het beste moment van allemaal vond?' zei Morris. 'Dat moment waarop de Kerstman zijn werkpak van de pakketbezorgdienst uittrok en zijn eigen kerstmantel omdeed.'

'Echt? Was dat het beste moment?' vroeg Bonnie.

'Ja! Wie had ooit gedacht dat hij zulke grote onderbroeken zou dragen? Met kleine kerstboompjes erop en alles!'

'Je bent een grappige jongen, Morris,' zei Gary. 'Zullen we dan nu een knalbonbon laten knallen, Emma?'

'Ja,' zei ze. 'Wat dacht je van deze?'

Van onder de tafel haalde ze een gouden knalbonbon tevoorschijn. Dé gouden knalbonbon. Die in haar witte schoenendoos had gezeten.

Gary fronste zijn wenkbrauwen. 'Weet je het zeker?'

'Natuurlijk! Dit is het juiste moment. Nu Kerstmis weer echt Kerstmis is. Zo zou oma Jo het ook hebben gewild!'

Gary's ogen werden een beetje vochtig van tranen. 'Oké...'

Emma hield een van de uiteinden naar hem toe. Ze trokken er tegelijkertijd aan en KNAL! De knalbonbon ging kapot. Hij brak niet alleen in twee stukken, maar leek in heel veel stukjes alle kanten op te vliegen – een wolk van kleine gouden snippertjes regende neer op de tafel.

'OEH!' zei Jonas.

'Wauw,' zei Emma.

'Zit er een grap in?' vroeg Morris.

Emma keek omlaag. 'Nee. Alleen zo'n stom papieren kroontje, uiteraard. En... O, ja!' Ze opende een klein blauw vloeipapiertje. 'Dit is meer een soort spreuk dan een grap.' De tekst was in rode, krullerige letters geschreven. Emma las hem voor:

'Kerstmis zwaait met zijn magische toverstok over de wereld, en zie – alles is zachter en prachtiger.'

'Aah,' zei Bonnie.

'Wat mooi,' zei Gary.

'Nou ja, het is niet zo'n knaller als: "Wat zegt oh oh oh? De Kerstman die achteruitloopt,"' zei Morris.

'Da's een goeie, Morris,' zei Gary.

'Bedankt. Ik moet er weer vandoor.'

'Moet je nu al weg?' vroeg Emma.

'Ja! Sorry, het was echt heel gezellig, maar ik moet naar huis...'

'Echt waar?' vroeg Bonnie. 'Maar het is kerst!'

'Weet ik. Maar dat vier ik toch niet. Kom op, jongens. Morris Cohen?' Hij glimlachte, sprong van zijn stoel en trok zijn jas aan. 'Fijne Chanoeka!

LEES OOK DE ANDERE BOEKEN VAN

DAVID BADDIEL

JARIGE JOB

Maar kan het elke dag feest zijn?

Stel...

Dat je elke dag jarig kunt zijn....

Dit is het verhaal van Job Groen, die echt he-le-maal gek is van jarig zijn. Hij geniet van het speciale ontbijt op bed. De cadeaus. De kinderfeestjes met een thema. De kaarsjes op zijn taart uitblazen. Alles!

Hij is zelfs zo opgewonden voor zijn elfde verjaardag dat hij wenst dat hij elke dag jarig kan zijn.

Dus vindt hij het helemaal geweldig als hij de volgende ochtend inderdaad wéér jarig blijkt! En de dag erna weer! En de dag erna! Maar het duurt niet lang voordat alles in de soep loopt. En dan gebeurt er iets wat Job doet beseffen der er veel belangrijkere dingen dan verjaardagen zijn.

De jongen die ineens beroemd was

Wat als iedereen opeens weet wie je bent?

Daan Smit heeft nog nooit iets bijzonders meegemaakt. Sterker nog, alles aan hem is heel gewoontjes, zelfs zijn naam. Maar als er ineens een televisieploeg opduikt op school om de nieuwe serie SchoolZaken te filmen, verandert dat op slag.

Daan valt gewoonlijk niet op. Alle andere kinderen zijn een stuk interessanter dan hij. Maar als een rare remix van zijn saaie spreekbeurt opeens viral gaat, is Daan in één klap beroemd.
Zijn leven staat op z'n kop en samen met zijn vrienden Bo en Esmar gaat hij van rode lopers naar tv-programma's en opnamestudio's. Met een beetje geluk mag hij zelfs Santini De Martini ontmoeten, het coolste meisje ter wereld! Maar, zoals iedereen weet, eist roem uiteindelijk zijn tol...

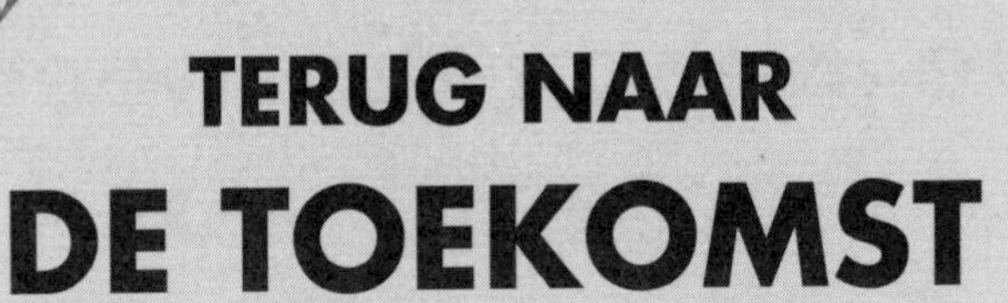

TERUG NAAR DE TOEKOMST

Wat zou je doen als je nieuwe beste vriendin uit de toekomst kwam?

2019
Rahul Agarwal is een geniale uitvinder en zijn familie heeft een magazijn vol spullen die hij mag gebruiken om de waanzinnigste gadgets te bouwen. Hij heeft alle reden om blij te zijn.

Maar er is één GROOT probleem: Rahul voelt zich eenzaam.

3020
Pip@256X#YY.3_7 is ook eenzaam. En zij kan haar ThuisBasis niet eens verlaten omdat de buitenlucht veel te heet is voor mensen.

Op een dag onderzoekt Pip een vreemde cirkel van licht in de LabRuimte in haar huis. Voor ze weet wat er gebeurt, wordt ze erdoorheen getrokken en komt ze in een magazijn terecht. In 2019.

Eenmaal samen zijn Rahul en Pip niet meer eenzaam. Wel krijgen ze te maken met een heleboel nieuwe problemen. Zo denkt iemand dat Pip een buitenaards wezen is. En ze moeten een manier vinden om haar terug te brengen naar 3020.

En misschien, heel misschien… kunnen ze de wereld redden.